Chères lectrices,

Que ce soit en ville ou à la campagne, sans doute percevez-vous déjà tous ces signaux que la nature nous envoie pour nous avertir que le soleil va bientôt revenir. La naissance des bourgeons, le chant des oiseaux, les jours qui allongent : tout nous annonce l'arrivée prochaine du printemps, cette saison merveilleuse où nous nous sentons renaître. Notre corps et notre esprit, engourdis par un trop long hiver, se font soudain plus légers. N'avez-vous pas la sensation, à cette période de l'année, que nous devenons plus attentives aux choses et aux personnes qui nous entourent ?

L'achat d'une petite robe, une nouvelle coupe de cheveux, un parfum de lilas et d'aubépine, de nouvelles rencontres : autant de promesses de joie et de légèreté qui s'offrent à nous, autant de prétextes pour faire des rêves qui embellissent l'existence. Sans oublier la lecture de vos romans…

Ce mois-ci, je vous invite à découvrir les premiers volets de nos deux nouvelles trilogies, « Héritage pour trois play-boys » et « La saga des McKinnon » : laissez-vous emporter par les aventures de ces deux familles aussi différentes qu'attachantes : émotion, passion, conflits et secrets seront au rendez-vous… pour notre plus grand plaisir !

Très bonne lecture,

La responsable de collection

Ce mois-ci, découvrez

La saga des McKinnon

de Barbara Hannay

Kane, Annie et Reid McKinnon sont les riches propriétaires d'une immense propriété familiale : Southern Cross. Tout semble leur sourire. Et pourtant, ils n'ont pas encore trouvé l'amour...

———

Ne manquez pas votre premier rendez-vous avec la saga des McKinnon :

Une surprenante idylle

Azur n° 2582

Un patron trop attirant

CATHY WILLIAMS

Un patron trop attirant

COLLECTION AZUR

éditions **Harlequin**

Cet ouvrage a été publié en langue anglaise
sous le titre :
THE ITALIAN TYCOON'S MISTRESS

HARLEQUIN®

est une marque déposée du Groupe Harlequin
et Azur ® est une marque déposée d'Harlequin S.A.

1.

— Et ça, qu'est-ce que c'est ?

Depuis deux jours qu'il avait pris la direction de Losi Construction, Rocco Losi se voyait forcé d'organiser une succession sans fin de réunions et d'entrevues pour tenter d'avoir une vue claire de la situation de l'entreprise.

— A quoi ce chiffre correspond-il ?

D'un air soucieux, l'homme en face de lui fixa la ligne que Rocco pointait sur un listing de chiffres.

L'homme poussa un imperceptible soupir.

— Cela correspond à l'activité d'une de nos filiales, expliqua-t-il.

— Une de nos filiales ? Et où se trouvent les documents la concernant ? lança Rocco en se reculant sur sa chaise.

Il contempla froidement le malheureux Richard Newton, responsable de la comptabilité, qui semblait soudain impuissant à dissimuler sa nervosité.

Pour Rocco, cet audit en compagnie de cadres tout juste capables de faire fonctionner une imprimante tournait au cauchemar. Comment l'entreprise de son père avait-elle pu dégager des profits alors qu'elle était gérée par des hommes complètement dépassés ? Tout en étant l'un des membres les plus alertes de la direction, Richard Newton n'avait rien d'un fringant jeune premier. Dans la multinationale que dirigeait Rocco et où la moindre contre-performance était sévèrement sanctionnée, il n'aurait pas fait de vieux os...

Mais comment comparer la jungle sauvage de New York à l'activité routinière et monotone de ce comté où avait autrefois vécu Shakespeare ?

— Ecoutez-moi bien, monsieur Newton, dit-il en se levant, les mains à plat sur son bureau. Les événements ne m'ont pas laissé le choix et j'ai dû quitter les Etats-Unis pour venir ici. Mais maintenant que je suis là, je ne vais pas me contenter de regarder ce que vous faites et d'applaudir. En réalité, j'estime que je ne devrais avoir à poser aucune question, et que toute l'information dont je suis susceptible d'avoir besoin devrait déjà être sur mon bureau. Me suis-je bien fait comprendre ?

Rocco regarda Richard Newton hocher faiblement la tête. Avait-il été trop brutal ? Mais après tout, il n'était pas venu là pour accroître sa popularité ou se faire de nouveaux amis, mais pour prendre la direction provisoire de l'entreprise de son père. Et il espérait bien pouvoir retourner au plus vite à New York, la ville qui l'avait accueilli dix ans plus tôt, après son départ d'Angleterre.

Même si ce n'était qu'une situation temporaire, il se refusait à faire ce travail de façon superficielle. Ça n'était pas son style. Il était là contre sa volonté, mais il ferait en sorte que Losi Construction devienne une entreprise d'une solidité à toute épreuve.

Rocco se plongea dans le dossier qu'il tenait encore à la main, et, sans lever les yeux, il ordonna à Richard Newton de rester dans le bureau tant qu'il ne lui aurait pas signifié expressément qu'il n'avait plus de questions à lui poser. Puis il se mit à feuilleter les documents. Au bout de quelques minutes de silence, il se tourna de nouveau vers le comptable.

— Expliquez-moi ce que cette filiale apporte à Losi Construction, dit-il en croisant les mains sous son menton.

— Ah... Eh bien..., balbutia Richard Newton. Notre groupe dégage d'importants bénéfices... Avec le boum de l'immobilier ces dernières années, les affaires vont plutôt bien, comme en témoigne le bilan que nous vous avons présenté. Plus que bien, même, à dire vrai.

Rocco, sans prononcer le moindre mot, jeta un coup d'œil à sa montre avant de fixer de nouveau le visage empourpré du comptable.

— A vrai dire, reprit celui-ci, cette filiale ne rapporte rien au groupe. Enfin, pas directement. Sans doute n'avez-vous pas l'habitude du monde des affaires dans ce pays, monsieur Losi... Vous pratiquez un type de management plus agressif, je suppose.

— Pourriez-vous répondre clairement à ma question ? demanda de nouveau Rocco.

— Eh bien, disons que cette filiale est la branche... caritative de notre entreprise. Elle est dirigée par Amy Hogan qui y accomplit un travail formidable. Vous comprenez, votre père souhaitait redistribuer ainsi une partie des bénéfices. Bien sûr, Amy serait tout aussi capable de travailler dans un secteur qui dégage des profits...

— Ce nom ne me dit rien, alors que je croyais avoir rencontré tous les membres du personnel.

— Son bureau ne se trouve pas au siège, mais dans la banlieue de Birmingham, pour lui permettre de superviser les actions dans lesquelles elle est engagée.

— Quelle est exactement sa place dans l'organigramme ?

— Eh bien, elle est cadre...

— Je croyais avoir demandé à rencontrer *tous* les cadres.

— Oui. Mais il se trouve qu'elle n'a pas pu venir hier...

— Pour quelle raison ? Sans doute était-elle gravement malade ? s'enquit Rocco.

— Elle a dit qu'elle était trop occupée, balbutia Richard Newton.

— Trop occupée ? répéta Rocco.

Il n'en croyait pas ses oreilles. Habitué à être obéi en toutes circonstances, il n'arrivait pas à concevoir que quelqu'un puisse s'opposer ainsi à sa volonté.

— Amy ne s'arrête jamais de travailler, lança Richard. Et en ce moment, elle est sur un projet important.

— Un projet important bien qu'il ne nous rapporte rien, c'est cela ?

— Il s'agit de réhabiliter une maison de quartier en centre-ville.

Rocco eut l'impression que sa maigre patience s'évanouissait d'un seul coup. Apparemment, il allait lui falloir régler une situation jusque-là inédite pour lui.

Dans le monde où il évoluait, le pouvoir et l'influence lui avaient toujours procuré une assurance absolue. Il balayait les obstacles avec une froide détermination. Les problèmes portant sur des contrats de plusieurs millions de dollars le laissaient de marbre, en dehors de l'intérêt intellectuel et professionnel qu'ils pouvaient avoir. Et grâce à son incontestable savoir-faire, il savait les régler avec précision et efficacité.

Et voilà que cette femme provoquait sa colère en ignorant ses ordres !

— Rendez-moi un service, monsieur Newton, dit-il. Dès

que vous sortirez d'ici, appelez Mlle Hogan et informez-la que je serai cet après-midi à son bureau, à 15 heures précises. Si occupée soit-elle, j'espère pour elle qu'elle s'y trouvera. Sinon...

Richard Newton ouvrit la bouche pour l'informer que le licenciement d'un cadre ne pouvait intervenir que sur décision de l'ensemble des responsables des différents services, mais il la referma sans avoir prononcé le moindre mot. Cet homme ne connaissait de règles que celles qu'il lui plaisait d'édicter et, s'il le fallait, il balaierait sans aucun scrupule le code de bonne conduite en vigueur à Losi Construction.

Il se contenta donc d'acquiescer de la tête avant de sortir de la pièce, soulagé d'échapper un moment aux exigences de son nouveau patron.

Rocco soupira. Dire qu'en arrivant ici, il ne savait même pas si Losi Construction était une entreprise performante ou non... Depuis qu'il avait rompu les ponts avec son père et qu'il était parti chercher fortune de l'autre côté de l'Atlantique, il n'avait plus eu beaucoup de nouvelles.

Il demanda à son assistante de lui réserver une voiture avec chauffeur pour le début de l'après-midi. Puis il passa le reste de la matinée à examiner la comptabilité du groupe, tout en vérifiant des informations sur son ordinateur et en maintenant le contact avec son bureau de New York grâce à son portable.

A 14 heures, son assistante vint l'interrompre pour l'informer que sa voiture l'attendait.

Rocco ne connaissait pas le quartier où se trouvait la filiale dirigée par Amy Hogan. Le siège de Losi Construction se trouvait quant à lui à la périphérie de Stratford, dans un immeuble ancien de style « vieille Europe », très différent de ses propres bureaux, situés dans un immeuble de verre et d'acier, au cœur de New York...

Il s'attendait plus ou moins à découvrir un ancien appartement victorien à l'élégance surannée. Mais à sa grande surprise, le chauffeur s'arrêta dans une rue bordée de boutiques peu reluisantes, devant un petit bâtiment de béton.

— Vous êtes certain que c'est ici ? s'enquit-il en fronçant les sourcils.

Une bande de gamins désœuvrés qui traînaient devant une supérette tournèrent la tête vers la voiture.

— Bien sûr, monsieur. Je viens parfois chercher Mlle Hogan quand sa voiture tombe en panne.

— Ça lui arrive souvent ?

— Sa Mini lui joue des tours de temps en temps, mais Mlle Hogan l'adore et ne s'en séparerait pour rien au monde.

Tout en méditant cette information, Rocco se risqua hors de la voiture avant de se pencher vers le chauffeur.

— Je vous appellerai quand j'aurai terminé.

— Bien, monsieur.

Il n'en avait pas pour plus d'une heure, pensa-t-il. Il n'avait pas l'intention d'éplucher sur place la comptabilité de cette filiale. Il voulait simplement préparer cette femme à l'idée que ces généreux projets touchaient à leur fin, puisque son père, incapable de reprendre une vie active, lui avait pour le moment abandonné les rênes de l'entreprise.

Si le groupe avait envie de faire des dons à des œuvres caritatives, pourquoi pas ? Il pourrait toujours s'adresser à des organismes spécialisés, qui offraient d'ailleurs d'intéressants dégrèvements fiscaux. En revanche, il était ridicule de dépenser du temps, de l'énergie et de la main d'œuvre. Losi Construction n'avait rien d'une entreprise philanthropique !

Rocco poussa la porte du bureau et découvrit un décor comme il n'en avait pas vu depuis longtemps : du mobilier bon marché, des tapis usés jusqu'à la corde et un désordre évident.

Il n'y avait pas de comptoir d'accueil. Juste cinq tables entassées dans la pièce, pourtant deux fois plus petite que son bureau de New York. Sur un des murs était affichée une vue aérienne des H.L.M de la ville. On avait ouvert les fenêtres délabrées, sans doute pour faire pénétrer un peu d'air frais, et au plafond, un ventilateur éparpillait tous les papiers qui n'avaient pas été solidement arrimés.

L'activité qui régnait dans la pièce s'interrompit dès que Rocco y pénétra. Sans chercher à masquer leur intérêt, cinq paires d'yeux vinrent se poser sur lui. Trois hommes et deux femmes, tous entre vingt et trente ans. Deux des hommes avaient les cheveux tirés en catogan, alors que les femmes portaient les cheveux courts.

— Je cherche Amy Hogan, déclara Rocco tout en continuant à explorer la pièce du regard.

Sur un des murs était accroché un tableau en liège où étaient punaisée une quantité impressionnante de messages. Les corbeilles à papier étaient pleines, et une boîte à outils trônait dans un coin de la pièce.

— Elle doit être dans la cour, dit un des hommes en s'avançant pour dévisager Rocco d'un air suspicieux.

Il s'interposa quand celui-ci se dirigea vers la porte de derrière.

— Où vous allez, mon vieux ?

— Je suis venu voir Mlle Hogan.

— Et vous êtes ?

— Rocco Losi, dit-il. J'ai rendez-vous.

Rocco perçut que son nom produisait un certain effet.

— Je ne suis pas au courant, poursuivit l'homme qui l'empêchait de passer.

Il hésita quelques secondes avant de poursuivre.

— Et votre père, il va mieux, j'espère ? Moi, c'est Freddy. Désolé pour l'accueil, mais dans les parages, il vaut mieux prendre ses précautions.

E il tendit une main ferme à Rocco.

— Il y a quinze jours, ils ont défoncé la vitrine de la supérette d'en face, intervint une des femmes. Ils se sont d'ailleurs contentés de prendre autant d'alcool qu'ils ont pu, sans faire cas des sirènes d'alarme.

— Il a fallu dix minutes aux flics avant d'arriver ici.

— Juste à ce moment-là, les autres ont filé.

— Le vieux Singh, il a été drôlement secoué.

Soudain une voix douce et légèrement rauque se fit entendre.

— Je vois que vous avez déjà fait connaissance avec mon équipe.

Levant les yeux, Rocco découvrit une femme debout sur le seuil. Elle était vêtue d'un jean, d'un T-shirt rayé, et de baskets.

— Je suis Amy Hogan. Vous devez être le fils d'Antonio, reprit-elle avec un large sourire.

Un mètre soixante. Des cheveux bruns et raides. Des yeux marron. Un petit nez droit semé de taches de rousseur. En entendant cette femme prononcer le prénom de son père, Rocco sentit son cœur se serrer.

Comment le vieil homme avait-il pu embaucher quelqu'un d'aussi jeune et la laisser gérer à sa guise des sommes considérables ? Ici une maison de quartier, là un refuge, ailleurs encore un jardin public...

Sans même avoir examiné attentivement son C.V, il doutait déjà qu'elle ait les qualifications requises pour ce poste.

— J'aimerais avoir un entretien en privé avec vous, dit-il en faisant un pas vers elle.

— Mon bureau est derrière vous, répondit-elle en le fixant droit dans les yeux.

Amy lui désigna la porte. Malgré elle, elle ne pouvait s'empêcher de se sentir impressionnée par la haute taille et l'incroyable aisance du fils d'Antonio. Tout comme par sa peau mate et sa chevelure d'un noir de jais, qui formaient un contraste saisissant avec le bleu éclatant, presque métallique de son regard dur et pénétrant comme une lame.

Elle regretta de ne pas avoir demandé à Richard à quoi Rocco Losi ressemblait : cela lui aurait évité d'être aussi déstabilisée par son physique exceptionnel... En revanche, le chef comptable n'avait pas manqué de mentionner l'incroyable arrogance de leur nouveau patron. Et sa description semblait encore en deçà de la réalité...

— Vous voulez boire quelque chose ? proposa-t-elle en se forçant à sourire. Un thé ? Un café ? Ah ! Désolée, nous sommes à court de café depuis deux jours, et personne n'a pris le temps d'aller en racheter. Donc ce sera une tasse de thé, ou de l'eau.

— Non, merci. Je désire juste m'entretenir avec vous.

Amy ouvrit la porte de son bureau et s'écarta pour le laisser entrer. Tout en s'asseyant, elle lui désigna l'une des deux chaises situées en face d'elle.

Elle fronça les sourcils en réalisant que l'exiguïté des

lieux faisait ressortir encore plus l'imposante stature de Rocco Losi. Celui-ci jeta autour de lui un coup d'œil circulaire, avant de la fixer de nouveau avec une insistance troublante. Elle était surprise de se sentir à ce point perturbée. Elle avait pourtant l'habitude, dans son travail, des personnalités difficiles et déstabilisantes...

— Que puis-je pour vous ? demanda-t-elle en s'efforçant de sourire avec assurance.

— J'ai convoqué tous les cadres au siège, hier. Vous ne vous êtes pas présentée.

— Je suis désolée, mais j'ai été si occupée que je n'ai pas trouvé le temps de le faire.

Elle s'interrompit un instant.

— Comment va votre père ? s'enquit-elle. Nous sommes tous désolés qu'il ait contracté cette pneumonie. Même s'il m'avait avertie qu'il se sentait fatigué, nous avons été bouleversés d'apprendre qu'il avait fallu l'hospitaliser. Je lui ai rendu visite tous les jours, mais il est si affaibli qu'il a à peine conscience de ma présence...

— Mademoiselle Hogan, coupa-t-il, j'irai droit au but. Je ne resterai ici que le temps nécessaire. Mais durant mon séjour, j'exige une collaboration sans faille. Cela vous concerne également, même si votre poste semble un peu... excentré.

— Veuillez accepter mes excuses, répondit Amy en le fixant droit dans les yeux. Et maintenant, pourriez-vous m'expliquer ce que vous attendez de moi ?

Lorsque Richard lui avait annoncé la visite de Rocco, elle avait pressenti une vague menace, sans toutefois chercher à en savoir davantage. Elle était persuadée qu'il se satisferait d'un simple exposé des programmes sur lesquels elle avait récemment travaillé, et des projets en cours. Un optimisme dont elle comprenait maintenant à quel point il était hors de propos.

— Pourriez-vous me préciser quelles sont vos qualifications ? demanda-t-il.

— Pardon ?

— Quelles sont vos qualifications ?

— Est-ce vraiment indispensable ? répondit-elle en rougissant sous l'acuité de son regard. Antonio m'a toujours fait confiance.

— Il ne dirige plus cette entreprise. Et peut-être que sa santé lui interdira de le faire à l'avenir. Si tel est le cas, je vais devoir prendre les rênes de l'entreprise et la faire évoluer dans le sens qui me semble adéquat, avant de quitter ce pays.

Rocco retroussa les manches de sa chemise. En dépit du ventilateur posé en équilibre instable sur une étagère métallique, il régnait dans la pièce une chaleur étouffante. Comment des gens arrivaient-ils à travailler dans ce four ? Durant son premier été à New York, il avait travaillé dans des locaux de ce genre. Avant d'amorcer son ascension fulgurante... Il repensa un instant à sa chambre d'alors, à la minuscule salle de bains, dans la cuisine dont la fenêtre mal ajustée laissait filtrer une insupportable touffeur. Aujourd'hui, il vivait dans un somptueux appartement climatisé, qui témoignait de ce que pouvaient réaliser les meilleurs architectes d'intérieur lorsqu'on leur accordait un budget illimité.

— Et en quoi mes qualifications vous intéressent-elles, monsieur Losi ? rétorqua froidement Amy.

Rocco se pencha vers elle en s'efforçant de contrôler sa voix.

— Mademoiselle Hogan, je vais vous expliquer en toute franchise comment j'évalue la situation. Losi Construction dégage des profits, en dépit d'erreurs de stratégie. Grâce au boom actuel du secteur de la construction et à une solide réputation, elle a réussi à garder sa position dominante sur le marché. La direction semble se contenter de gérer le *statu quo,* alors que des concurrents plus agressifs s'emploient à mettre fin à son monopole. Inutile d'être un génie de la finance pour repérer les failles de cette gestion. Sans parler des sommes considérables mises à la disposition d'une gamine qui se sent une vocation de dame patronnesse.

— Une gamine qui se sent une vocation de dame patronnesse ? C'est de moi que vous parlez, monsieur Losi ?

— Exactement, répliqua Rocco.

Il se carra sur sa chaise avec une glaciale indifférence. Amy Hogan ne manquait pas de présence d'esprit pour une fille de… disons dix-neuf ans. Vingt au maximum. Elle ne portait aucun maquillage. Les femmes d'affaires avec qui il avait l'habitude de traiter portaient des tailleurs et savaient se farder.

— Même si cela ne vous regarde en rien, il se trouve que j'ai vingt-six ans.

— Contrairement à ce que vous croyez, cela me regarde. Car désormais, votre patron, c'est moi. Et à ce titre, j'aimerais savoir si vous êtes assez qualifiée pour gérer les sommes importantes dont vous disposez ici. Quel est votre chef direct ?

— Je n'ai jamais rendu de comptes qu'à votre père.

— Ainsi, vous avez toujours agi à votre guise. Quant à mon père, acceptiez-vous seulement de le rencontrer quand lui venait l'idée saugrenue de vous demander un entretien ?

Amy sentit soudain son sang bouillir dans ses veines. Quelle arrogance ! Mais que faire ? Impossible de le jeter dehors puisqu'il était désormais le patron et qu'il risquait de le rester si Antonio prenait sa retraite. Ce dernier avait plus de soixante-dix ans et le médecin n'avait pas caché à Amy qu'à cet âge, il risquait de sortir affaibli de sa pneumonie. D'autant plus qu'il souffrait également d'une angine de poitrine.

— Vous suggérez que notre équipe manque de professionnalisme ?

— Comment oserais-je me permettre une telle insinuation ? dit-il en jetant un regard éloquent sur les murs écaillés, la moquette élimée et les étagères bon marché qui ployaient sous les ouvrages de droit et de gestion publique.

— Monsieur Losi, vous faites preuve d'une extrême agressivité.

— Je préfère ignorer votre remarque.

— L'état de mon bureau n'a rien à voir avec la qualité de mon travail. Mais peut-être en va-t-il différemment à New York ?

Rocco n'en revenait pas. Pour qui se prenait cette péronnelle dont les yeux bruns étincelaient de colère ? Il dut faire un effort surhumain pour se maîtriser, ce qui constituait pour lui une expérience tout à fait inédite.

— Nous nous éloignons de notre sujet, mademoiselle Hogan, déclara-t-il d'une voix plus calme. Je veux d'abord examiner vos qualifications, avant de m'informer avec précision du projet sur lequel vous travaillez actuellement. J'exige d'autre part de trouver demain matin sur mon bureau un rapport comptable concernant les deux dernières années écoulées. Comment l'argent a-t-il été dépensé et quels bénéfices en a tiré notre entreprise.

— Je crains que ce ne soit impossible.

— J'ai dû mal entendre, dit-il froidement.

— Comment aurais-je le temps de rédiger un tel rapport pour demain matin ? s'écria-t-elle. De toute façon, j'ai déjà remis toutes les informations nécessaires à Richard. Avez-vous d'autres observations à formuler ? dit-elle en se levant et en tendant la main comme pour signifier son congé à Rocco.

Celui-ci se contenta de la regarder sans bouger d'un iota. Le temps qu'il s'était fixé pour cet entretien avait beau être dépassé, il appréciait assez d'être confronté à la personnalité de cette jeune femme.

— Rasseyez-vous, mademoiselle Hogan. Je n'en ai pas encore fini. Vous prétendez avoir vingt-six ans. Depuis combien de temps travaillez-vous pour Losi Construction ? Quatre ans ? Et en si peu de temps, vous avez réussi à accéder à un poste comportant de grandes responsabilités ?

— Cela fait dix ans que je travaille pour Losi Construction, corrigea-t-elle non sans réticence.

— Dix ans ? Je ne vois pas comment... A quel âge avez-vous terminé vos études supérieures ?

Amy ne put s'empêcher de baisser brièvement les yeux.

— Je n'ai pas fait d'études supérieures, monsieur Losi. Je suis entrée dans l'entreprise de votre père juste après avoir quitté le lycée.

Il n'aurait pas eu l'air plus stupéfait si elle lui avait déclaré qu'elle avait été élevée en Afrique au sein d'une horde de loups...

— Tout le monde n'a pas la chance d'aller à la fac. C'est un privilège, pas un droit, dit-elle en détournant les yeux, incapable de continuer à soutenir son regard bleu.

— Dois-je comprendre que vous avez raté votre bac ?

20

— Monsieur Losi, répondit-elle en respirant à fond, après la mort de ma mère quand j'étais encore enfant, mon père m'a élevée tout seul. Lorsque j'avais quatorze ans, il a été atteint par la maladie d'Alzheimer. A seize ans, j'ai dû accepter que les services sociaux le placent dans un établissement spécialisé. Après avoir obtenu mon baccalauréat, j'ai été hébergée dans une famille d'accueil jusqu'à ma majorité tandis que je commençais à travailler auprès de votre père. J'aurais bien voulu aller à l'université, mais je n'avais pas le choix.

Elle gardait les yeux fixés sur le bureau, mais elle sentait néanmoins qu'il l'observait.

— Ainsi, votre expérience professionnelle constitue votre seule qualification.

— Oui. D'abord comme employée, puis comme assistante de votre père. Nous avons élaboré ensemble un projet caritatif dont il m'a ensuite confié l'entière responsabilité.

— Je vois..., murmura Rocco. Et où se trouve votre père, aujourd'hui ?

— Il est décédé il y a deux ans, répondit-elle, le cœur serré. Compte tenu de son état, sa mort a été une bénédiction. Il ne savait plus qui il était et me prenait pour ma mère. Voilà. Vous exigez peut-être aussi que je vous fasse un rapport sur ma vie personnelle et que je le dépose sur votre bureau ?

Elle le détestait de l'avoir forcée à lui raconter son histoire.

— Vos sarcasmes sont fort déplacés, répliqua-t-il.

— Vous me trouvez sarcastique ? Cependant, je me suis contentée de répondre à vos questions.

— Mon père vous faisait confiance, ce que, bien sûr, je porte à votre crédit. Mais quelle que soit la compassion que je ressens devant les difficultés qui vous ont contrainte à renoncer à vos études, je tiens à contrôler la destination des fonds que vous avez gérés. En affaires, seules survivent les affaires qui dégagent des profits, c'est la règle numéro un. Et je suis venu ici pour diriger cette entreprise et tenir compte de cette règle.

— Je l'ai parfaitement compris.

— Vraiment ?

Comment aurait-elle pu comprendre son point de vue et ce qui l'animait ? songea Rocco. Depuis qu'il avait quitté l'Angleterre, il n'avait jamais compté que sur lui-même ? Et dès qu'il avait commencé à travailler, à New York, il n'avait plus eu qu'une idée en tête : gagner de l'argent.

— Dans ce cas, reprit-il, vous aurez à cœur de me rendre compte de l'argent que vous et votre équipe avez dépensé ces deux dernières années.

— Ce décompte vous sera remis dès la fin de la semaine.

Amy retint un soupir. Qui pouvait prédire la réaction de cet homme quand il examinerait la comptabilité ? Pour lui tout était blanc ou noir. Ce qui ne dégageait pas de bénéfices ne présentait aucun intérêt. L'idée même de redistribuer une part des profits à la communauté lui était absolument étrangère.

— Et je ne veux pas le trouver sur mon bureau, dit-il.

— Pourtant…, s'étonna-t-elle.

— Je tiens à ce que vous me l'apportiez *vous-même*. Pour que nous en discutions et que vous compreniez pourquoi je veux et je dois mettre fin à vos remarquables activités. Même si cela me prend plus de temps que prévu.

Rocco se leva, non sans remarquer que la jeune femme était devenue pâle. Il réprima un mouvement de compassion.

N'était-il pas avant tout un homme d'affaires ? Comment aurait-il pu faire passer ses sentiments avant son sens de l'efficacité ?

— Jamais votre père ne le tolèrera.

— Mon père se trouve à l'hôpital et la gestion de l'entreprise m'a été confiée.

— Ce qui est ridicule, compte tenu de...

— Compte tenu de quoi, mademoiselle Hogan ? lança-t-il en la toisant de toute sa hauteur.

Amy croisa les mains pour dissimuler un léger tremblement.

— Compte tenu du fait que...

Non, elle ne pouvait pas aller jusque-là.

— ... pour vous ces sommes ne sont que des broutilles, improvisa-t-elle dans l'urgence. Même si c'est un peu difficile à concevoir, on ne gère pas une entreprise de la même façon qu'à New York. Pensez-y au moment de prendre votre décision.

« D'autant plus, continua-t-elle *in petto*, que depuis dix ans, vous n'avez pas vu votre père plus de quatre fois. »

Elle le tenait d'Antonio lui-même. Le vieil homme l'avait dès le début prise sous son aile et considérée comme son enfant. Un enfant qu'il avait enfin pu chérir...

— Merci beaucoup de votre conseil, rétorqua Rocco tout en pianotant sur son mobile pour appeler le chauffeur. Mais je suis rarement ceux qu'on me donne car je les trouve souvent trop tendancieux pour m'être profitables.

Bien qu'elle eût baissé les yeux, il comprit, non sans en ressentir une certaine satisfaction, qu'elle cherchait vainement une réplique cinglante.

— Vendredi 15 h 30 dans mon bureau, poursuivit-il. N'oubliez pas vos livres de compte et vos projets en cours.

Dehors, la petite bande d'adolescents avait été remplacée par deux très jeunes mères qui bavardaient devant leurs poussettes. Des filles qui auraient encore dû être assises sur les bancs de l'école.

Malgré les embouteillages, le chauffeur était déjà là. Mais Rocco resta un moment à observer les alentours. Tout en regrettant d'avoir à assumer une telle situation, alors qu'il avait déjà à gérer ses propres affaires, il sourit en se disant qu'au moins, il ne risquait pas de s'ennuyer. En ce moment même, tout ce petit monde devait s'agiter dans tous les sens et médire de lui. Pourtant, ils seraient bien contents s'il réussissait à moderniser l'entreprise et à quadrupler les bénéfices, ce qu'il était convaincu de réussir avec un minimum d'efforts.

Car en dépit de toutes les illusions que ces gens pouvaient entretenir, c'était toujours l'argent qui avait le dernier mot...

2.

Amy s'était arrangée pour arriver au siège bien avant l'heure fatidique de son rendez-vous. Depuis trois jours, à force d'envisager la menace que constituait Rocco Losi, et au prix de longues insomnies, elle en était venue à accepter de courber l'échine devant lui, autant qu'elle en serait capable. Mieux valait éviter de déchaîner ses foudres pour la seule satisfaction de montrer qu'elle avait raison.

La veille, elle était allée voir Antonio à l'hôpital et avait dû constater que le cocktail d'antibiotiques qu'on lui administrait n'était pas aussi efficace qu'on l'avait espéré. Impossible de l'interroger sur la gestion de l'entreprise alors qu'il avait somnolé par intermittences durant toute sa visite. De plus, le médecin lui avait annoncé qu'Antonio devrait rester là au moins trois semaines encore. Après quoi, il partirait sans doute se reposer chez des parents en Italie : Rocco avait déjà tout organisé.

Ce qui ne laissait rien présager de bon concernant son avenir professionnel. Dès qu'il en aurait la possibilité, il ne manquerait pas de la licencier avec tous les membres de son équipe.

Malheureusement, la seule personne avec qui elle aurait eu envie d'évoquer cette situation, Antonio lui-même, n'était pas en mesure de le faire. Jusqu'à présent, en cas de problème, c'était vers lui qu'elle s'était tournée. Et les rares fois où elle s'était laissée aller à pleurer, il avait su lui offrir une épaule accueillante.

Elle pensait que Rocco la ferait attendre pour la déstabiliser, mais une secrétaire l'introduisit dès son arrivée dans l'ancien bureau d'Antonio.

Aucun sourire ne vint éclairer la beauté froide de son visage, dont les traits bien dessinés auraient séduit n'importe quel peintre. Au contraire, elle lui semblait lire une menace presque palpable dans son regard dur et indifférent.

Amy eut bien du mal à ne pas paniquer tandis qu'il lui indiquait d'un geste de la main le fauteuil qui faisait face au sien.

— Vous êtes à l'heure, constata-t-il en se carrant dans son siège. Cela m'étonne. A en croire vos collègues du siège, votre emploi du temps ne cadre pas trop avec le leur.

— C'est souvent le cas quand on travaille à l'extérieur, monsieur Losi, répondit-elle avec un sourire poli. C'est vrai, j'ai parfois eu des difficultés à arriver à l'heure à certaines réunions qui avaient lieu à Stratford.

Elle lui tendit alors le dossier qu'elle avait amené, sans toutefois qu'il fasse le moindre geste pour le prendre.

— Voici les documents que vous m'avez demandé de vous remettre, expliqua-t-elle.

— Je crains d'avoir de mauvaises nouvelles à vous annoncer, mademoiselle Hogan, dit-il en continuant à la fixer. Cependant, comme vous vous êtes rendue au chevet de mon père, vous êtes peut-être déjà au courant.

— Si vous voulez parler du fait que le médecin le juge

assez rétabli pour partir bientôt en convalescence en Italie, ce sont plutôt de bonnes nouvelles.

Amy se concentrait pour garder son sang-froid. Même s'il pouvait agir à sa guise, elle n'était pas prête à renoncer à se battre, ni à abdiquer sa dignité.

— Vous ne vous imaginez pas comme il a travaillé dur ces deux dernières années, reprit-elle. Il a bien le droit de se reposer, même si ce ne sont pas les meilleures circonstances.

— S'il avait su former une équipe à laquelle déléguer son travail, il n'aurait pas eu besoin de s'épuiser à ce point.

— Je ne me permettrai pas de juger le travail de votre père. Désirez-vous que nous examinions ces dossiers ? coupa-t-elle.

Assurément, Rocco Losi avait passé la plus grande partie de sa vie à exercer le pouvoir, entouré de gens qui espéraient en ramasser les miettes. Les hommes comme lui étaient habitués aux marques de soumission. Le remettre à sa place n'arrangerait sans doute pas ses affaires, mais elle n'était pas prête à critiquer quelqu'un qui l'avait tant aidée.

— J'ai déjà jeté un coup d'œil sur vos chiffres, dit-il en s'accoudant à son bureau. Comparée aux précédentes, votre dernière réalisation est plutôt modeste : à peine un peu plus de cinquante mille livres…

— Nos projets ne représentent qu'un infime pourcentage des profits dégagés par Losi Construction, intervint Amy en dépit de l'accélération des battements de son cœur. Et ils ont toujours été validés et approuvés.

— Vous avez bien raison d'utiliser le passé… Mais permettez-moi de vous mettre au courant. Je vais occuper ce poste durant les six mois qui viennent, et même quand mon père sera rétabli, il ne pourra plus travailler à plein temps. En fait, ses responsabilités seront de pure forme. Je m'assurerai donc que cette entreprise est dirigée comme je l'entends, en plaçant à sa tête une personne que je jugerai compétente.

— Six mois ? balbutia Amy.

— Au minimum.

— Et vos propres affaires à New York ? N'étiez-vous pas pressé de retourner là-bas ?

— Contrairement à ce qui se passe ici, j'ai sur place un personnel formé à me remplacer lorsque je m'absente. Et en quelques heures, je peux y retourner, au cas où cela se révèlerait nécessaire.

— Quelle efficacité ! dit-elle avec une pointe d'ironie.

— En effet, déclara Rocco en fronçant les sourcils. Pour toute entreprise, l'efficacité est la clé du succès. Ce qui me ramène à votre cas particulier.

— Je suis, dans mon domaine, extrêmement efficace.

— Sans doute, mais ce n'est pas la question. Le problème est que votre travail, si efficace soit-il, ne rapporte rien.

— Il n'y a pas que l'argent dans la vie, rétorqua-t-elle en se sentant rougir de colère. Croire que le but de l'existence est de dégager des profits me semble extrêmement triste. Que faites-vous de votre argent, monsieur Losi ? Vous le placez pour passer ensuite de merveilleuses soirées à étudier vos relevés de compte et en vous félicitant d'être aussi futé ?

En croisant le regard empli de colère de la jeune femme, Rocco se sentit de nouveau envahi par la sensation qu'il avait déjà éprouvée quelques jours plus tôt. Une sensation qu'il n'avait pas connue depuis longtemps... Avec le succès, il avait constaté que les hommes de pouvoir s'entourent de gens qui pensent comme eux. Aujourd'hui, il ne rencontrait plus jamais la moindre contradiction.

— Je connais mille façons plus intéressantes de passer une soirée, dit-il d'une voix suggestive, en se réjouissant de la voir s'empourprer.

Brusquement, Amy sentit monter en elle une bouffée de désir, et pendant quelques secondes, son imagination lui suggéra des images si fortes qu'elle eut du mal à les chasser de son esprit. Décidément, ce Rocco Losi ne manquait pas de séduction : sa chevelure sombre et ses épais cils noirs faisaient ressortir son regard magnifique. Quant à sa bouche, ferme et sensuelle… Elle se raidit nerveusement sur sa chaise.

— Que prétendez-vous faire, monsieur Losi ? Je dirige une équipe de cinq personnes motivées à cent pour cent par les actions que nous engageons. Et particulièrement par celle que nous sommes en train de mener en ce moment. Je ne suis donc pas seule en cause.

— Et alors ?

— C'est sans espoir, soupira-t-elle. Je me demande même ce que je fais ici.

Elle se leva de sa chaise, prête à abandonner la partie. Cet homme ne se laisserait de toute façon jamais fléchir.

— Sachez qu'en affaires, il ne faut jamais se laisser emporter par l'émotion et toujours contrôler ce qu'on dit. Rasseyez-vous, ordonna-t-il.

Il se leva et en se mit à arpenter la pièce, les mains dans les poches. Il s'arrêta enfin devant une étagère à l'ancienne que décoraient deux orchidées et quelques bibelots d'un goût exquis qu'Antonio avait rapportés de ses voyages.

— J'ai étudié vos résultats et j'en suis arrivé à l'évidente conclusion qu'il va nous falloir mettre un terme à tous ces projets sans intérêt...

— Sans intérêt ! s'écria-t-elle.

— Ce qui ne veut pas dire que je suis un monstre dépourvu de toute conscience sociale. Mais reconnaissez qu'il existe une façon plus simple de pratiquer la charité.

— Laquelle ?

— Donner de l'argent à des organismes que vous choisiriez sur des critères bien définis.

Amy en eut le souffle coupé.

— Si vous tenez tant à prouver que vous possédez une conscience sociale, donnez de l'argent à n'importe quelle œuvre et vous pourrez dormir sur vos deux oreilles, rétorqua-t-elle. Après tout, à quoi bon vous intéresser aux gens qui vous entourent ? C'est une tâche ingrate et pénible dans laquelle on perd son temps sans gagner le moindre sou. Il ne vous est jamais venu à l'esprit qu'on puisse s'épanouir en aidant les autres, tout simplement ?

Rocco se retourna vivement et posa les deux mains sur les bras du fauteuil d'Amy, comme pour la tenir à sa merci.

— Mademoiselle Hogan, je crois que vous n'avez pas choisi le bon job : votre comptabilité laisse à désirer. D'autre part, j'aimerais avoir une idée plus précise du programme sur lequel vous travaillez, dit-il en se redressant pour mieux la toiser. Quant à vos projets à plus long terme, vous comprendrez que j'en suspende, pour le moment, l'exécution.

Amy bondit sur ses pieds. Jamais elle n'avait rencontré un individu aussi froid et insensible. Mais après tout, cela n'avait rien de surprenant : quel qu'en puisse être le motif, n'avait-il pas coupé tout lien avec son père ?

Faisant le tour du bureau où Rocco venait de se rasseoir,

elle ouvrit le dossier présentant le projet sur lequel elle travaillait en ce moment.

— Il s'agit d'un ensemble de logements sociaux parmi les plus insalubres du centre-ville. Habité par une majorité de familles monoparentales. En conséquence, peuplé de nombreux adolescents désœuvrés. Au prix des plus grandes difficultés, nous avons obtenu l'autorisation d'y construire un centre social. Ici, exactement, dit-elle en pointant un lieu sur le plan qu'elle avait posé sur le bureau.

En posant les yeux sur son projet, elle sentit un regain d'enthousiasme et d'énergie lui réchauffer le cœur.

Tous les habitants du quartier soutenaient ce programme. Les mères épuisées y voyaient un moyen de lutter contre la fatalité de la délinquance. Quant aux jeunes, en dépit de leur langage très particulier et de leur attitude désinvolte, Amy les avait trouvés, pour certains du moins, plutôt motivés.

Elle déploya les plans du bâtiment qu'ils projetaient de construire et qui avait été conçu par Dee, une architecte de talent qui avait accompli des miracles en dépit de l'espace réduit dont elle disposait. Tout à son exposé, elle oubliait qu'elle parlait à un adversaire déclaré.

— C'est tout autre chose que de se contenter de signer un chèque sans chercher à savoir ce qu'on fera de cet argent, conclut-elle.

— Je dois reconnaître que vous plaidez votre cause avec passion...

— N'oubliez pas qu'il s'agit d'un travail d'équipe.

— Pourriez-vous me préciser à quoi servent exactement les gens de votre équipe, justement ? s'enquit Rocco en levant les sourcils d'un air inquisiteur.

— Freddy est expert immobilier et Dee est une architecte, répondit-elle. Quant à Tim et Andy, ils gèrent les transactions nécessaires à la réalisation du programme, tandis que Marcy s'occupe des problèmes administratifs.

— Et vous, quel est votre rôle ?

— Je supervise l'ensemble, répliqua froidement Amy qui sentait venir la critique. Je m'assure que les délais sont respectés, je reste en liaison avec la municipalité et je veille à ce que les suggestions des résidents soient prises en compte.

— C'est la seule réalisation que vous ayez en charge pour le moment ? Quel en sera le coût final ?

— Vous trouverez une analyse détaillée du budget prévisionnel dans le dossier, dit-elle en désignant une chemise sur le bureau tout en jetant un coup d'œil à sa montre. Il s'agit essentiellement d'estimations, mais j'ai confiance en nos fournisseurs avec lesquels nous avons maintenant l'habitude de travailler.

— Pourriez-vous me les commenter ?

Amy rougit et détourna le regard.

— Il ne m'est pas possible de rester plus longtemps, dit-elle en faisant le tour du bureau pour reprendre le sac qu'elle avait posé sur sa chaise.

Comment le temps avait-il pu passer si vite ? S'il était bien 17 h 30, elle avait parlé pendant presque deux heures en pure perte, alors qu'elle avait tant à faire.

— Vous m'avez déjà prouvé votre absence de conscience professionnelle en ne vous rendant pas à ma convocation sous prétexte que vous aviez à faire, et voilà que vous coupez court à un entretien décisif pour vous et votre équipe... Puis-je connaître la raison de ce départ précipité ?

— Désolée, mais je dois partir, dit-elle en mettant son sac à son épaule.

— Où êtes-vous si pressée de vous rendre ? insista-t-il.

— Tant qu'il s'agit de ma vie professionnelle, monsieur Losi, je suis d'accord pour aller aussi loin que vous le désirez dans la discussion. En revanche, ma vie privée ne vous concerne pas.

Malgré la froideur déroutante du regard bleu qui la transperçait, Amy fit un effort pour envisager la situation de son point de vue à lui et reposa son sac sur la chaise.

— J'ai un rendez-vous que je ne peux annuler, concéda-t-elle, parce que je l'ai déjà reporté à trois reprises. Il se trouve qu'un ami a pris des billets pour une représentation du *Songe d'une nuit d'été*. Je ne veux pas lui faire faux bond une fois de plus.

Rocco croisa les bras. Imperturbable, il fixait le visage empourpré de la jeune femme. Cette résistance inhabituelle commençait à l'intéresser au plus haut point.

— D'autre part, reprit-elle, gênée, ma voiture est chez le garagiste, et dans ce quartier du centre-ville, il est très difficile de trouver un taxi en été, à cause de l'afflux de touristes.

Amy ne put s'empêcher de regarder de nouveau sa montre. Mon Dieu, Sam devait déjà être en train de l'attendre au foyer du théâtre. Lui qui en avait assez qu'elle se laisse dévorer par son travail… Il le lui avait dit cent fois.

— Très bien, dit Rocco en se levant brusquement. Nous reprendrons cet entretien lundi.

Tout en poussant un soupir de soulagement, Amy lui jeta un regard furtif. Pour un homme de sa taille, il se déplaçait avec une légèreté peu commune. Sans aucun doute, il pratiquait de nombreux sports. Elle l'imaginait très bien dans une salle de squash, un sport qui lui permettait d'écraser son partenaire, tout en entretenant sa propre forme physique.

Au cours des cinq dernières années, Amy, quant à

elle, avait souvent envisagé de faire du sport, sans jamais réussir à trouver le temps.

— Vous avez l'intention de passer la nuit à travailler ici ? demanda-t-elle, comme il lui ouvrait la porte.

— Qu'est-ce qui vous fait croire que je ne vais pas plutôt aller prendre du bon temps ailleurs ? rétorqua-t-il avec un sourire en coin qui fit battre plus vite le cœur de la jeune femme.

Cet homme avait beau être abominable, il n'en était pas moins incroyablement séduisant.

— Dans ce cas, amusez-vous bien, lança-t-elle, surprise de constater qu'il sortait derrière elle.

L'essentiel du personnel administratif avait déjà quitté le vieil immeuble, mais il y restait encore quelques employés. Sans que ce soit officiel, il était admis que l'on pouvait partir plus tôt le vendredi, et les plus jeunes ne s'en privaient guère dans leur hâte de profiter de loisirs auxquels elle-même n'avait jamais goûté : boire un verre, faire la fête, passer d'un petit ami à un autre…

La maladie de son père l'avait privée des plaisirs de la jeunesse. Quand elle avait enfin émergé de ce cauchemar, elle n'en avait plus eu envie. Cependant, elle n'avait jamais regretté d'avoir été ainsi propulsée avant l'heure dans l'âge adulte. Et puis, n'avait-elle pas trouvé refuge dans le travail ?

— Où allez-vous ? s'enquit-elle pour rompre le silence, tandis que Rocco descendait l'escalier avec elle.

— Je vais vous accompagner au théâtre. Je veux que vous soyez à l'heure à votre rendez-vous.

Amy s'arrêta, clouée sur place par la surprise.

— Je vous remercie, mais je ne tiens pas à ce que vous m'y déposiez.

— Puis-je savoir pourquoi ?

34

Mille raisons lui vinrent à l'esprit sans qu'elle réussisse pourtant à en formuler une.

— Par ma faute, reprit-il, nous avons passé plus de temps que nous ne l'aurions dû sur ces dossiers. Je vais donc vous aider à rattraper les minutes perdues. A moins que vous n'ayez le temps de rentrer chez vous pour vous changer, auquel cas je ferai volontiers un détour.

— Inutile de vous mettre en peine…

— Pourquoi ne pas accepter ma proposition aussi simplement que je l'ai formulée ?

Amy se rendit à cet argument, même si l'idée de se retrouver coincée dans l'espace clos d'une voiture en compagnie de son pire ennemi ne lui souriait guère.

— Quand je travaille, je ne vois plus passer l'heure, remarqua Rocco en lui ouvrant la portière passager d'une magnifique Jaguar garée dans le parking devant l'immeuble. Et j'attends la même disponibilité de tous mes collaborateurs.

Amy s'engouffra précipitamment dans la voiture.

— En général, monsieur Losi, je n'ai pas non plus l'œil rivé sur ma montre, répondit-t-elle d'une voix mal assurée.

Elle ne pouvait s'empêcher d'observer à la dérobée son profil parfait qui se découpait à contre-jour tandis qu'il manœuvrait pour sortir du parking.

— Ce qui explique ce rendez-vous déjà annulé à trois reprises. Puisque nous en sommes là, pourquoi ne pas abandonner ces « monsieur » et « mademoiselle » trop cérémonieux. Un peu de familiarité favorise la cohésion d'une équipe et une communication plus détendue.

Amy tenta de s'imaginer communiquant en toute décontraction avec le glacial Rocco Losi. En vain. Se détendre en sa compagnie lui paraissait une gageure impossible.

— Quels changements allez-vous apporter à notre entreprise ? Envisagez-vous des réductions d'effectifs ?

— A quelle heure devez-vous être au théâtre ? demanda-t-il, ignorant délibérément sa question.

— Vous ne m'avez pas répondu, s'entêta-t-elle.

— Je n'ai pas l'intention de le faire. Il ne serait en effet guère professionnel de ma part d'en discuter avec une seule personne. Parlez-moi plutôt de votre ami. Je suis surpris que vous en ayez un.

L'insolence du propos fit oublier à Amy ses soucis de travail, y compris son éventuel licenciement et la fin d'une carrière qu'elle avait mis dix ans à construire.

— J'ai dû mal entendre, s'exclama-t-elle.

— Et pourquoi donc ?

— Vous vous comportez vraiment comme un mufle, explosa-t-elle. Mais tout bien réfléchi, cela ne me surprend pas. Jamais je n'ai croisé un être aussi odieux, arrogant et mal élevé.

— Il est étrange que de toute ma vie, jamais aucune femme ne m'ait fait semblable remarque.

Entre eux, l'air était maintenant saturé de tension.

— Voilà qui en dit long sur le style de femmes dont vous aimez vous entourer, ne put-elle s'empêcher de lancer, tout en sentant qu'elle aurait mieux fait de changer de sujet.

Mais il fallait absolument qu'elle réussisse à balayer ce sourire suffisant du visage de cet homme.

— Je vous rappelle que j'ai vingt-six ans, reprit-elle. Un âge où la plupart des femmes ne pratiquent pas la solitude.

Qui cherchait-elle à convaincre ? songea-t-elle en prononçant cette phrase. Lui ? Ou elle-même ? Elle avait beau avoir eu des relations suivies avec trois hommes, aucun n'avait réussi à la distraire de son travail. Mais même si elle ne prétendait pas être une bombe sexuelle, la surprise qu'avait manifestée ce goujat quand elle lui avait parlé d'un ami la blessait profondément.

— Je pensais tout simplement que vous étiez de ces femmes qui font passer leur carrière avant tout.

— Pas du tout, dit-elle, contre son intime conviction.

Contrainte d'assumer trop tôt son indépendance, elle avait privilégié son travail aux dépens des contacts humains. Dans un certain sens, sur le plan émotionnel, elle aurait pu passer pour aussi indifférente que Rocco Losi.

— A quoi ressemble-t-il ?

— Vous êtes certain d'être sur la bonne route ? J'ai peur qu'à force de vous passionner pour ma vie privée, vous ne fassiez pas attention au chemin.

— Votre vie privée ne me passionne pas, Amy. J'ai juste abordé un autre sujet que le travail.

En l'entendant prononcer son prénom, elle sentit un petit frisson courir le long de son dos.

— Vous voulez me priver de mon emploi et nous transformer en chômeurs, mes collaborateurs et moi. Et vous voudriez que je bavarde gentiment avec vous ?

— Je m'intéresse avant tout à l'avenir de cette entreprise.

— Pourquoi ?

— Comment ça, pourquoi ?

Oubliant leur rapport hiérarchique, Amy ne songeait plus qu'à la manière désagréable dont Rocco se plaisait à la déstabiliser. Si seulement elle trouvait un moyen de lui rendre la monnaie de sa pièce, de réussir à le troubler tout autant qu'il la troublait elle-même…

— Pourquoi vous soucier de ce qui peut advenir de Losi Construction ? lança-t-elle. Jamais vous n'avez manifesté le moindre intérêt à l'égard de l'entreprise de votre père.

Il y eut un long silence pendant lequel Amy se sentit partagée entre le plaisir d'avoir enfin réussi à toucher son adversaire et la tentation de s'excuser pour avoir abordé un sujet qui ne la concernait pas.

Soudain, il se rangea sur le côté et arrêta le moteur.

— Que faites-vous ? s'enquit-elle sur un ton que sa nervosité rendait plus acerbe qu'elle ne l'aurait souhaité.

— J'aimerais que nous creusions un peu ce sujet, répondit Rocco en se tournant vers elle pour la regarder bien en face.

— Je regrette d'avoir tenu des propos déplacés, mais vous avez prétendu qu'en appelant vos employés par leur prénom, vous cherchiez à leur permettre de mieux exprimer ce qu'ils avaient sur le cœur.

— Et dans votre cas précis ?

— Vous vivez à New York. Jamais vous ne vous êtes préoccupé de votre père ni de son entreprise. Et voilà que vous déboulez ici, que vous prenez le contrôle, que vous chamboulez la vie des gens. Avant de repartir en laissant à d'autres le soin de ramasser les morceaux.

— Vous avez le don de dramatiser.

— Je ne vois pas en quoi j'exagère, s'écria Amy, décontenancée par cette curieuse absence de combativité.

— Je n'ai pas l'intention de faire le vide, protesta-t-il. Seulement de mettre un peu d'ordre, parce que c'est dans ma nature. D'ailleurs, nous avons un point commun, vous et moi : l'un comme l'autre nous avons dû gravir les échelons un à un, sans l'aide de personne.

— Sauf que c'était pour moi une obligation et pour vous un choix, lança Amy en relevant le menton. Et auparavant, vous aviez fait des études universitaires. Tandis que moi, je n'ai que mon bac pour tout bagage.

Sous son regard bleu métallique qui la transperçait, elle avait du mal à reprendre son souffle.

— Vous avez tout misé sur le travail, n'est-ce pas ? constata-t-il. Et vous vous retrouvez toute seule, à vingt-six ans.

— Je vous ai pourtant dit...

— Oui. Vous avez rendez-vous ce soir avec un ami. Mais vous avez annulé vos trois derniers rendez-vous, sous prétexte que vous étiez prise par votre travail. Et vous en éprouvez de la culpabilité.

— C'est faux ! s'exclama-t-elle en sentant ses joues s'empourprer, bien obligée de reconnaître intérieurement qu'il avait frappé juste. Et si vous ne voulez pas me déposer devant le théâtre, vous n'avez qu'à le dire. Je peux très bien marcher jusque-là.

— Vous feriez cinq kilomètres à pied, chaussée comme vous l'êtes, uniquement par amour-propre ?

— Parfaitement.

Elle détourna les yeux tandis qu'il éclatait de rire, ce qui eut le don de l'exaspérer au plus haut point.

— Eh bien, figurez-vous que je vous crois, murmura-t-il en redémarrant le moteur. Les hommes n'apprécient pas beaucoup, vous savez...

— N'apprécient pas quoi ? coupa-t-elle. Qu'une femme soit prête à marcher à pied s'il le faut ? Ou qu'une femme soit prête à se battre pour un ou deux principes auxquels elle tient ?

— Ils n'apprécient pas les mégères qui veulent toujours avoir raison. Celles qui sont trop occupées à défendre leur cause bec et ongles pour ne jamais prendre la peine d'écouter les autres.

— Merci beaucoup pour cet avis. Venant d'un homme qui n'a guère de temps à consacrer à autrui, il vaut de l'or.

— Eh oui, acquiesça Rocco.

Il remarqua à regret qu'ils approchaient du théâtre.

— Les femmes acariâtres attirent fatalement un type d'hommes particulier.

— Ai-je besoin de vous préciser que ces considérations me laissent indifférente ?

— Des hommes faibles, poursuivit-il, qui adorent qu'on les maltraite et qu'on les mène par le bout du nez. Et qui ne protestent pas quand on leur pose des lapins.

Amy attendit qu'il ait fini de garer la voiture contre le trottoir avant de se tourner vers lui.

— Sans doute voulez-vous parler de ces hommes qui prêtent attention à ce que les gens essaient de leur dire ? Contrairement à vous, qui êtes prêt, sur un simple coup d'œil au bilan comptable et sans vous préoccuper des détails, à mettre fin à mes activités. Pour vous, si cela ne rapporte rien, cela doit être supprimé. Si c'est là le propre des hommes forts, alors, comme vous le dites si bien, je préfère les faibles, conclut-elle en se félicitant d'avoir su garder une voix ferme et posée, en dépit de la colère qui la submergeait.

— Qu'entendez-vous au juste par « détails » ? Que pourrais-je faire d'autre d'une rangée de chiffres figurant pour la plupart dans la colonne passif ?

— Venir voir par vous-même ce que nous faisons, lança-t-elle avant d'ouvrir la portière pour sortir de la voiture. Mais sans doute faites-vous partie de ces hommes forts qui ne changent jamais d'avis.

Amy s'éloigna rapidement, préférant mettre un terme à la conversation. Elle avait provoqué Rocco Losi et elle sentait que celui-ci allait se faire un malin plaisir de répondre à sa provocation. Bien sûr, à ce petit jeu, elle partait battue d'avance. Sans doute viendrait-il jeter un coup d'œil au projet, de peur qu'on insinue que tout était joué d'avance. Et puis il annoncerait sans état d'âme qu'il se trouvait malheureusement dans l'obligation de mettre fin aux activités de cette filiale.

3.

La pièce était plutôt bonne, mais le dîner qui suivit fut moins réussi. Amy fit l'erreur de confier à Sam les problèmes professionnels qu'elle rencontrait et les risques qu'elle sentait peser sur son poste. Cela lui valut un long monologue de la part de son ami. La ferveur altruiste qui l'avait séduite trois mois plus tôt chez Sam suscitait aujourd'hui en elle un sentiment assez mitigé.

— Le concept même d'intérêt commun échappe complètement à Rocco Losi, expliqua-t-elle tout en repoussant son assiette.

— C'est un comportement typique, lança Sam. Des comme lui, j'en ai connu des dizaines. La seule chose qui les intéresse, c'est l'argent. Ils largueraient volontiers une bombe sur un H.L.M s'ils pensaient pouvoir réutiliser le terrain pour construire des immeubles de standing et les vendre à un prix fou.

— Tu exagères peut-être un peu, protesta Amy, en proie à une impression vaguement désagréable.

Elle avait rencontré Sam, un éducateur, alors qu'elle travaillait à un projet antérieur. Leur exigence commune de justice sociale les avait rapprochés. Sans qu'elle s'en aperçoive, leur amitié avait évolué vers un autre sentiment. Lequel précisément ? Amy ne pouvait s'empêcher de se poser la question. Néanmoins il lui plaisait assez pour qu'elle envisage de faire un bout de chemin en sa compagnie. Avec ses cheveux blonds qui avaient tendance à s'éclaircir et ses yeux bleu pâle, il n'avait rien d'un Apollon, mais, toujours prévenant, il semblait facile à vivre et désireux de partager les intérêts et les convictions de la jeune femme.

— La place de l'argent dans notre société est la source de tout mal, conclut-il avec conviction tout en terminant sa pizza qui n'avait pourtant pas l'air plus appétissante que celle d'Amy.

— Je suis trop épuisée pour avoir seulement la force de penser, dit la jeune femme en étouffant un bâillement. Rocco Losi est d'accord pour venir jeter un coup d'œil au projet sur lequel nous travaillons en ce moment. Peut-être cela le fera-t-il changer d'avis.

— Sinon ?

— Sinon, je perdrai mon emploi, et toute mon équipe aussi.

— Que feras-tu alors ?

— Je trouverai autre chose.

— Il n'y a pas tellement de possibilités dans ce domaine. Tu es payée pour faire ce qui te passionne. Que peux-tu rêver de mieux ?

Sans lui demander son avis, il commanda deux cafés. Accablée de fatigue, elle écoutait à peine Sam disserter avec lourdeur sur les mérites de l'action qu'elle menait. Si Rocco se décidait à l'accompagner sur les lieux mêmes du programme de réhabilitation, comment réagirait-il ? S'ennuierait-il ? Resterait-il indifférent ? Ou feindrait-il de s'intéresser ? Que pouvait apporter une telle réalisation à un homme d'affaires au sommet de sa réussite ? Sans plus se soucier de ce que disait son compagnon, elle

imagina son nouveau patron, la toisant, vaguement irrité,
une moue d'ennui sur le visage.

— Je te disais, répéta Sam, s'apercevant qu'elle ne
suivait plus la conversation, que tu n'aurais pas besoin
d'exercer un métier aussi prenant. Tu pourrais peut-être
travailler à temps partiel ou même comme bénévole.

— Je ne comprends pas. Excuse-moi. Je suis si fatiguée.

En remarquant son air agacé, Amy se souvint que sans
jamais se mettre en colère, il lui arrivait de faire la tête
quand les choses ne se passaient pas exactement comme
il l'aurait souhaité.

— Je disais, articula-t-il, que nous pourrions peut-être
faire un pas supplémentaire.

— Un pas supplémentaire ? s'étonna-t-elle en le fixant
sans comprendre.

— Nous pourrions nous fiancer.

— Nous fiancer ? Mais nous ne nous connaissons que
depuis trois mois !

— En matière de mariage, le temps ne fait rien à l'affaire, s'exclama Sam, agacé. J'ai trente-huit ans. J'aspire
à me fixer et je pense avoir trouvé la personne idéale. Une
femme qui partage mes intérêts et qui sait se contenter de
joies simples. Tu ne trouves pas que nous nous entendons
à merveille ?

Il lui prit fermement les deux mains pour les presser
entre les siennes.

— Certes, admit Amy, tout en se dégageant doucement.
Mais rien ne presse.

— Promets-moi d'y penser.

— Bien sûr. Mais je n'ai que vingt-six ans.

Elle essaya de s'imaginer mariée avec Sam. Il ferait
certainement un époux sérieux et fiable, et sans aucun

doute un bon père. Sans parler de tout ce qu'ils avaient en commun...

— Le temps perdu ne se rattrape pas, remarqua-t-il sentencieusement.

Puis il changea de sujet et compara la pièce à laquelle ils venaient d'assister à une autre œuvre de Shakespeare qu'ils avaient vue deux mois plus tôt.

Amy connaissait assez Sam pour savoir qu'il n'était pas homme à faire une telle proposition à la légère. Elle l'appela donc deux jours plus tard pour lui dire qu'elle ne pouvait rien décider tant que son avenir professionnel restait si incertain.

Comme elle s'y attendait, Rocco ne s'était pas précipité dans son bureau pour réclamer plus de détails sur le projet en cours. Sans doute espérait-il par ce silence lui faire comprendre le peu d'intérêt qu'il portait à cette affaire.

Antonio, de son côté, se rétablissait lentement. Même s'il pouvait maintenant lui parler quelques minutes quand elle allait le voir, elle n'avait pas eu le cœur de le mettre au courant de ce qui se tramait, d'autant que le médecin avait bien insisté sur la nécessité de lui épargner tout souci.

La veille, quand elle lui avait rendu visite à l'heure du déjeuner, elle avait été contrainte d'arborer un sourire radieux et de faire comme si tout allait bien. Elle en avait été récompensée par l'expression de soulagement qui avait envahi les traits du vieil homme. Au moment de partir, cependant, elle lui avait demandé d'un air détaché s'il était content que son fils soit de retour, même s'il avait sans doute souhaité renouer avec lui dans des circonstances moins pénibles.

— Renouer ? avait répondu Antonio avec un petit rire sans joie. Il n'en a pas été question. Il a été *forcé* de revenir, voilà tout. Jamais il n'a passé plus de cinq minutes avec moi. Chaque matin, il se contente de s'assurer que je ne suis pas mort pendant la nuit.

Ce qui avait enfin décidé Amy à appeler Rocco.

— J'espère que vous n'avez pas oublié la visite que vous devez venir faire sur le terrain, commença-t-elle tout de go.

Le téléphone à la main, Rocco se carra sur sa chaise en souriant. Il n'avait rien oublié. Il avait simplement décidé que quelques jours de silence permettraient à Amy d'envisager l'inéluctable de façon plus sereine. Entêtée comme elle l'était, il avait deviné qu'elle finirait par appeler. Ce qui la mettait en position d'infériorité. En matière de manipulation, il se considérait comme un champion.

A ce moment, son assistante, après avoir frappé en vain à la porte, passa la tête dans son bureau. Il la chassa d'un revers de main et fit pivoter sa chaise pour contempler la vue magnifique qui s'offrait à lui.

— La pièce vous a plu ? s'enquit-il.

— Beaucoup… Lorsque vous m'avez proposé de venir juger par vous-même de ce que nous faisions, vous plaisantiez sans doute ?

— Mais non. Je vais consulter mon agenda pour voir quelles sont mes possibilités.

— Nous avons une réunion avec les résidents demain soir à 20 heures. Cela vous permettrait de rencontrer ceux qui sont partie prenante dans notre projet.

— Magnifique ! coupa Rocco qui avait pourtant prévu de dîner ce soir-là avec des entrepreneurs locaux.

Au fond, pourquoi ne pas envoyer un de ses collaborateurs à sa place ? Les intérêts de l'entreprise n'exigeaient

46

pas qu'il partage un repas réchauffé avec des gens qui ne présentaient pas pour lui d'intérêt à long terme.

Il étendit ses jambes tout en se remémorant le visage grave d'Amy, ses taches de rousseur, son regard farouche.

— Je passerai vous prendre chez vous à 19 heures.

— C'est inutile.

— Votre amour-propre exige-t-il que vous preniez les transports en commun ?

— Bon. Disons 19 h 15, lança-t-elle avant de lui donner son adresse et de lui indiquer le trajet le plus court pour se rendre à son appartement situé à mi-chemin entre le centre et les locaux de Losi Construction. Je peux compter sur vous ?

— N'ayez crainte, je serai à l'heure. Une simple question : que feriez-vous en cas de défection de ma part ?

— Je serais un peu déçue, sans être surprise. Et je m'en sortirais par mes propres moyens.

Touché, songea Rocco avec un petit sourire.

— Si tu penses avoir la moindre chance de le faire changer d'idée, tu crois vraiment au Père Noël, dit Sam quand Amy lui téléphona le lendemain pour lui annoncer avec qui elle allait passer la soirée.

— Je préfère rester optimiste.

— Dans ce cas, prépare-toi à subir une énorme déconvenue. J'ai déjà rencontré ce genre d'individu quand je m'occupais de collecter des fonds.

Amy se dit dans son for intérieur que Sam n'avait sûrement jamais croisé un homme de la trempe de Rocco Losi. Mais elle lui était reconnaissante de ne pas avoir remis sur le tapis le sujet des fiançailles et de lui avoir accordé un délai de réflexion. Délai qu'elle s'était bien gardée de mettre à profit, d'ailleurs.

Elle le laissa lui expliquer sa version des choses, sans avoir l'énergie de répliquer. Enfin, elle raccrocha un quart d'heure plus tard pour se faire couler un bain. Dans sa tête, une voix insistante insinuait qu'au fond, si Rocco décidait de la licencier, Sam ne serait pas si mécontent qu'elle perde son emploi. Sans travail, elle serait plus malléable. Brusquement, elle eut un peu honte de cette pensée : nul n'ignorait que Sam était vraiment un chic type.

Contrairement à Rocco Losi.

Quelques minutes avant l'heure fixée pour leur rendez-vous, Amy en était encore à se demander s'il n'allait pas lui poser un lapin. Ce qui ne l'avait pas empêchée de se préparer un peu plus que de coutume.

Elle était restée en jean, car il aurait été déplacé de se présenter en tailleur à une réunion de résidents de logements sociaux. Pourtant, au lieu de ses inévitables baskets, elle avait enfilé une paire de mocassins confortables mais qui donnaient plus de légèreté à sa silhouette. Et elle avait remplacé son T-shirt habituel par un haut moulant assorti à ses chaussures. Après avoir brossé son épaisse chevelure pour la faire briller, elle s'était autorisé une simple touche de rouge à lèvres.

Lorsque la sonnette retentit à 19 h 15 précises, elle était prête. Rocco Losi n'était pas le seul à savoir gérer son emploi du temps.

— Vous êtes étonnée de me voir ? lança-t-il quand elle lui ouvrit la porte.

Il faisait encore jour, mais moins chaud que pendant la journée. En pull de coton noir et pantalon de sport kaki, il en imposait presque plus qu'en costume. Pendant quelques secondes Amy se trouva incapable de prononcer le moindre mot. Puis elle recouvrit ses esprits, attrapa son sac et sortit avant de refermer la porte derrière elle.

— Pas du tout. J'étais certaine que vous voudriez vous rendre compte du travail que nous menons avant de prendre une décision définitive, répondit-elle avant de s'arrêter en apercevant la Jaguar étincelante garée le long du trottoir. Vous avez pris cette voiture ?

— Mais oui. Cela pose un problème ?

— Nous ne pouvons pas la prendre pour nous rendre à cette réunion.

— Pourquoi pas ? demanda-t-il avec un agacement non feint. C'est la même que celle dans laquelle je vous ai accompagnée au théâtre. Autant que je sache, elle marche très bien et pourra nous emmener où nous le souhaitons. Montez, je vous en prie.

— Nous sommes censés participer à une réunion de résidents de H.L.M, expliqua Amy en le regardant calmement. Ce genre de véhicule ne me semble pas adapté à la circonstance. Et je crains qu'il ne constitue une cible facile...

— Peut-être, coupa Rocco en faisant mine de chercher tout autour de lui avant de la regarder bien en face, mais je ne vois pas d'autre moyen de locomotion dans les parages. Nous allons donc utiliser celui-ci. Vous n'êtes pas forcée de monter et vous pouvez encore vous rendre là-bas par vos propres moyens. Dans ce cas, inutile d'espérer que je m'intéresse plus avant à votre projet.

Amy ne trouva rien à lui opposer.

— Très bien, dit-elle en haussant les épaules avant d'ouvrir la portière. Mais s'il arrive quoi que ce soit, vous ne viendrez pas vous plaindre.

— Sûrement pas, dit Rocco en démarrant. Et maintenant, donnez-moi l'adresse.

— Je ne vous force à rien, monsieur Losi.

— Cessez de m'appeler monsieur Losi.

— Continuez tout droit. Je vous dirai où tourner.

— Si ces réunions sont si terribles, comment vous en sortez-vous ?

Rocco avait posé cette question avec un réel intérêt. Les femmes qu'il avait l'habitude de côtoyer n'avaient guère envie de se risquer hors de leur territoire d'origine. Celles qui, à New York, évoluaient sans encombre dans la jungle des affaires ne se souciaient guère de ce qui se passait ailleurs. Quant à celles avec qui il sortait, il doutait qu'elles aient jamais pris le métro ou fréquenté un quartier qui ne comportait ni boutiques de luxe ni grands restaurants. Il jeta un regard de côté à sa passagère et eut la surprise de sentir son regard irrésistiblement attiré par sa poitrine étroitement moulée par un joli petit haut.

— La plupart du temps, je me sens à l'aise, déclara-t-elle. D'ailleurs, si ce n'était pas le cas, je ne pourrais faire face à ce genre de situation.

— Et votre ami est d'accord ?

— Bien sûr, s'exclama Amy, surprise. Pourquoi pas ?

— Cela me semble évident. Si sa femme, par obligation professionnelle, est amenée à fréquenter des lieux où l'on a peur de laisser sa voiture...

— Je suis capable d'assurer ma propre sécurité. Je ne suis pas du genre mauviette.

Elle appartenait donc à la catégorie des féministes enragées, se dit-il. Exactement le genre de femmes qu'il cherchait à tout prix à éviter, sauf dans les conseils d'administration où elles savaient se montrer aussi coriaces que les hommes.

— Sam évite de jouer les mères poules lorsque je sors dans le cadre de mon travail.

— Même si vous vous mettez en danger ?

— Je ne monte tout de même pas au front, dit-elle avec ironie.

Amy lui jeta un regard de côté. Il souriait et cela le rajeunissait de dix ans. Les femmes devaient vraiment le trouver irrésistible…

— De toute façon, je sais me montrer raisonnable. Freddy ou Tim m'accompagnent dans certains cas.

— Freddy, c'est le doux rêveur à la queue-de-cheval ?

— Freddy est diplômé en expertise immobilière, et il a brillamment réussi son examen final… Au prochain rond-point, vous prendrez à gauche, et ensuite, tout droit. La cité est sur la gauche, vous ne pouvez pas la rater.

Effectivement, se dit Rocco en la voyant surgir entre quelques bouquets d'arbres déplumés. Il était clair que personne n'aspirait à vivre dans ces blocs de béton.

Pour sa part, il possédait un appartement doté de tout le confort que l'argent peut procurer : un portier jour et nuit à l'entrée de l'immeuble, un hall majestueux, un ascenseur privé, un club de sport qui occupait un étage entier.

— Où me conseillez-vous de me garer ?

— L'entrée est devant l'immeuble. Je vous avais averti.

Rocco, qui se trouvait aux antipodes du monde dans lequel il avait l'habitude d'évoluer, ne savait trop comment se comporter. Il fut impressionné par la facilité avec laquelle Amy prit sans effort la direction des opérations, plaisantant avec le groupe d'une douzaine de jeunes qui s'était regroupé autour de la voiture dès qu'il l'avait garée. Elle leur demanda de leurs nouvelles, s'adressant à chacun par son prénom, présentant son compagnon au passage sans toutefois s'attarder.

Freddy les attendait en compagnie de deux autres membres de l'équipe. La réunion qui réunissait près de quatre-vingt personnes fut plutôt houleuse, les résidents n'hésitant pas à intervenir avec véhémence. Amy présidait tandis que Marcy prenait des notes, levant à peine les yeux pour suivre les débats. Lorsque les tensions se furent apaisées, la jeune femme en profita pour présenter Rocco aux assistants. Dès qu'il se leva, ils firent silence.

Fort de son expérience, il n'hésita pas une seconde à se jeter à l'eau. Il avait parlé dans des salles où se pressaient des personnalités de haut rang et avait su capter l'attention des dirigeants les plus importants de la planète. Jamais pourtant il ne s'était adressé à un auditoire essentiellement composé de femmes et d'enfants prêts à le soumettre à un feu croisé de questions.

Amy lui ayant passé la parole, Rocco s'exprima avec aisance sur la nécessité d'unir toutes les forces pour construire un avenir commun. Mais lorsqu'il se tut, aucun applaudissement ne vint récompenser ses efforts. Un discours de ce genre avait du mal à passer dans un tel contexte, se dit-il, mais peu importait. Ce qui comptait, c'était qu'il s'était montré sincère en expliquant sa vision du monde et de l'entreprise.

— Merci beaucoup, dit-il non sans ironie lorsqu'ils se retrouvèrent dehors, après la fin de la réunion.

— Vous vous en êtes plutôt bien sorti, dit Amy.

— Mieux que vous ne l'aviez espéré, sans doute.

— Désolée, mais je n'ai pas pu résister. Dois-je vous guider pour repartir ou vous rappelez-vous le chemin ?

— Rien de tel qu'un enrôlement forcé pour convaincre celui qui résiste, n'est-ce pas ? continua-t-il.

Amy lui sourit, détendue comme chaque fois qu'elle avait dû s'investir à fond dans le travail.

— Aurais-je par hasard réussi à vous convaincre ? Lorsque vous parliez de construire l'avenir même quand tout croule autour de vous, vous étiez sincère ? Ou bien n'était-ce qu'un moyen d'échapper au piège dans lequel vous vous sentiez pris ?

— Vous croyez vraiment que vous allez transformer cet endroit en un petit paradis où les adolescents vont se mettre soudain à étudier pour devenir professeurs ou médecins ?

— Comment peut-on être à ce point cynique ?

— Pour moi, ce n'est pas du cynisme, mais du réalisme.

Il la regarda soudain avec une intensité qui la troubla.

— Je vous emmène dîner. Qu'est-ce qui vous ferait plaisir ?

A la pensée de partager un repas avec lui, Amy sentit son cœur s'emballer. Elle espéra dissimuler son émotion en s'engouffrant dans la voiture.

— Merci, mais je préférerais que vous me rameniez simplement chez moi. Il est tard et je meurs de fatigue.

Elle eut une pensée pour Sam qui n'aurait certainement pas apprécié qu'elle se laisse inviter par son pire ennemi.

— Vous avez dîné ?

— J'ai grignoté quelque chose avant la réunion.

— A quel moment exactement ? demanda-t-il, en se dirigeant vers le centre-ville.

— A l'heure du déjeuner.

— Et depuis, rien ?

— Ecoutez, Rocco, dit-elle en le regardant bien en face.

Elle était prête à se battre, non seulement pour lutter contre le trouble qu'elle ressentait, mais aussi parce qu'elle se sentait coupable vis-à-vis de Sam.

— Je n'ai pas faim. Nous avons fait tout ce qui était prévu. Vous avez vu ce sur quoi nous travaillons. Vous avez pris contact avec les habitants. Maintenant, j'ai envie de rentrer chez moi. Demain, je rédigerai un rapport et j'espère bien que vous mourrez d'ennui en le lisant.

Elle retint un soupir de découragement. Cet homme n'était-il pas venu pour détruire tout ce qui lui tenait à cœur, tout ce qu'elle avait mis des années à construire ? Comment pouvait-il lui plaire autant ?

— Pas question, déclara calmement Rocco.

— Comment osez-vous ?

— D'abord, c'est ma voiture et c'est moi qui conduis. Ensuite, vous n'avez sans doute pas faim puisque vous avez absorbé quelque chose il y a dix heures, mais moi, si, déclara-t-il en mettant son clignotant. Nous allons donc dîner. Que diriez-vous d'un italien ?

— Quand allez-vous vous décider à me ramener chez moi ?

Sans tenir compte de ses protestations, il entra dans un parking du centre-ville.

— Arrêtez de vous comporter comme une gamine !

Amy était dans une telle rage qu'elle ne trouva rien à répondre.

— Je vous emmène dîner parce qu'il est 21 h 30 et que nous n'avons rien mangé ni l'un ni l'autre depuis des heures. Je n'ai pas l'intention d'attenter à votre vertu.

Cette réflexion la troubla davantage encore.

— Je suis sûre que Sam n'apprécierait pas que je dîne avec quelqu'un d'autre que lui.

Sans être jaloux, Sam aurait sans doute craint qu'elle ne parvienne pas à maintenir Rocco à distance. Selon une théorie que son ami aimait à développer, il y avait deux catégories d'êtres humains, « eux » et « nous ». « Eux », c'était ceux pour qui ne comptait que l'argent. Rocco par exemple. A la limite, Sam pouvait accepter qu'elle cherche à le convaincre. Mais fraterniser avec lui, ce serait une trahison à ses yeux.

— Ah bon ? s'étonna Rocco en se garant.

Lorsqu'il eut terminé sa manœuvre, il se tourna vers Amy, les sourcils froncés.

— Je croyais pourtant qu'il n'avait rien de possessif, tout à l'opposé d'une mère poule ?

Sans répondre, Amy sortit de la voiture dont elle claqua la portière avec colère.

— Eh bien ? s'enquit Rocco sans chercher à dissimuler son amusement.

— Disons que Sam aurait sans doute préféré que je dîne avec lui, répondit Amy sur un ton très digne.

Rocco sortit son mobile de sa poche.

— Mais on peut arranger ça. Pourquoi ne pas l'appeler pour qu'il vienne partager notre repas ? Mieux, je pourrais l'appeler moi-même pour tenter d'effacer la mauvaise opinion qu'il doit avoir de moi. J'ai vraiment envie de le connaître.

Il ne mentait pas vraiment. Il éprouvait une réelle curiosité pour cet homme sur lequel Amy laissait planer tant de mystère. D'habitude, les femmes se montraient intarissables au sujet des hommes de leur vie. Rocco était toujours surpris de voir ses employées, même les plus disponibles, partir à 17 heures se jeter dans les bras de leur amant, lorsqu'elles tombaient amoureuses.

— Le restaurant italien sera parfait, dit Amy, en frémissant d'horreur à la seule idée que Sam et Rocco puissent se rencontrer.

Dans ce quartier très animé la nuit, les gens se promenaient en couples ou en bandes, profitant de l'agréable douceur de l'air.

Rocco posa à Amy quelques questions sur les transformations qui s'étaient opérées dans le centre-ville durant les dix dernières années. Soulagée qu'il ait changé de sujet, elle se lança dans un exposé exhaustif.

— Vous n'avez jamais eu envie de revenir ici, depuis dix ans ? s'enquit-elle en guise de conclusion.

— Non.

— Excusez-moi. Je crains d'avoir abordé un sujet un peu délicat.

— C'est vrai, reconnut-il en l'entraînant vers le premier restaurant italien qui se présenta sur leur chemin.

Malheureusement on leur annonça qu'il leur faudrait attendre au moins une demi-heure avant qu'une table se libère.

— D'accord. Nous prendrons notre mal en patience. Mais sachez, dit-il en se tournant ensuite vers Amy, qu'il n'est pas question que je discute de ma vie privée.

Elle attendit qu'il ait commandé un verre de vin pour chacun d'eux avant de lui répondre :

— Dans ce cas, pourquoi exigez-vous que je vous livre la mienne ?

— Je ne me rappelle pas vous avoir posé la moindre question personnelle, rétorqua-t-il en la toisant avec arrogance. Il se trouve que j'ai horreur des femmes trop curieuses.

— *Trop curieuses* ! Parce que j'ai eu le malheur de vous poser une ou deux questions ! s'écria-t-elle.

— Exactement. Une ou deux questions sur le mauvais sujet.

Rocco fronça les sourcils. Jamais il n'avait discuté de son passé avec quiconque. Les quelques femmes qui avaient cherché à pénétrer dans son intimité en s'intéressant de près ou de loin à cette période de sa vie s'étaient heurtées à un mur et avaient préféré faire marche arrière.

Mais Amy n'avait rien à voir avec les filles qu'il fréquentait habituellement. Pourtant, il n'en demeurait pas moins son supérieur hiérarchique. Si elle se montrait trop curieuse, il saurait lui faire comprendre qu'elle allait trop loin.

En cinq minutes, Amy, pourtant loin d'être une buveuse invétérée, eut fini son verre de vin. Lorsque Rocco lui en proposa un second, elle accepta sans hésiter.

Sam buvait très peu. Il ne considérait pas l'alcool comme une substance diabolique, mais les principes de sa mère, qui avait toujours méprisé les gens incapables de se contrôler, l'avaient marqué à jamais. Comme Amy non plus ne s'intéressait pas beaucoup à l'alcool, cela avait constitué entre eux un point commun parmi d'autres.

En se dirigeant vers la table qui leur avait été attribuée, Amy constata que ses jambes lui semblaient moins solides que d'habitude.

— Très bien, déclara-t-elle dès qu'elle se fut assise, vous refusez d'aborder des sujets trop personnels. Je ne peux donc pas savoir pourquoi vous n'avez jamais voulu revoir les lieux où vous aviez passé votre enfance ?

— Je n'ai pas passé mon enfance dans le centre de Birmingham et je n'ai donc jamais éprouvé le besoin d'y retourner, répondit-il. En réalité, je n'ai pas plus d'attaches ici que je n'en aurais dans n'importe quelle ville que j'aurais pointée au hasard sur une carte.

— Vous voulez dire que vous n'êtes jamais venu dans

le centre, même quand vous viviez à quelques kilomètres ?

— Cette conversation ne présente aucun intérêt, soupira-t-il.

— J'essaie seulement d'en savoir un peu plus sur vous, rétorqua Amy.

— Je n'ai jamais séjourné longtemps dans cette région, lança-t-il en repoussant son verre sans y avoir touché.

— Je sais. On vous a envoyé en pension.

— Je suppose que vous tenez cette information de mon père. Vous bavardez donc ensemble, une fois que vous l'avez convaincu de mettre de l'argent dans un de vos fameux projets ?

En temps normal, cette remarque aurait rendu Amy folle de rage. Mais le vin avait atténué ses défenses, et au lieu de répliquer, elle se remémora les nombreuses soirées passées à bavarder en compagnie d'Antonio. En souriant, elle se pencha vers Rocco.

— Oui, cela nous arrive souvent de parler, tous les deux. Mon père et moi, nous étions très proches, et quand il est tombé malade... Vous comprenez, j'étais son seul enfant, et il m'a toujours traitée en adulte.

Elle fut frappée par l'expression glaciale de Rocco. Comment avait-elle pu se laisser aller à de telles confidences ?

— Quand vous êtes parti en pension, la maison vous a manqué ? reprit-elle pour changer de sujet.

Pris au dépourvu par cette question si directe, Rocco fit signe au serveur de venir prendre leur commande. Ce n'était ni le lieu ni le moment d'engager une discussion sur sa vie privée.

— Vous avez déjà dîné ici ? s'enquit-il poliment tout en consultant le menu.

— Jamais.

— L'ambiance est vraiment sympathique. Et compte tenu de la qualité de la nourriture, les prix ne sont pas exagérés.

— Même si Sam et moi préférons en général dîner plus près de notre lieu de travail, j'aime assez me promener dans le centre-ville. Quand votre père était en forme, nous nous donnions souvent rendez-vous au marché aux puces.

Il leva les yeux vers elle, étonné.

— Cela a l'air de vous surprendre ?

— Jamais je ne l'ai vu manifester le moindre intérêt pour ce genre d'endroit.

Amy sourit.

— En fait, il s'est pris d'une telle passion pour les livres anciens qu'en été, il passe souvent le dimanche matin à courir les bouquinistes.

— Pour y dénicher l'édition rare qu'il achètera pour rien et revendra très cher ? demanda-t-il avec une froide ironie.

— A vous entendre, on pourrait croire que c'est un monstre, remarqua-t-elle en le fixant avec curiosité.

— Et vous, à vous entendre, on le prendrait pour un saint.

— Un saint, non. Mais un homme très gentil, très attentif et qui ne craint pas de déchoir en fréquentant les marchés aux puces, alors qu'il pourrait s'acheter tout ce qu'il veut, flambant neuf, dans une boutique de luxe.

— J'ai l'impression que nous ne parlons pas de la même personne, dit-il avec un rire amer.

— Nous parlons de quelqu'un que vous n'avez pas l'air de connaître, rétorqua Amy. Mais, si vous vous en étiez donné la peine, peut-être auriez-vous pu l'apprécier, vous aussi.

Elle vit Rocco blêmir et contracter les mâchoires.

— Ce sont des propos typiques de quelqu'un qui se targue d'avoir une conscience sociale.

— Avoir une conscience sociale n'est pas un crime. Et je ne cherchais pas à vous faire la morale.

A ce moment, on posa au centre de la table un plat d'*antipasti* : viandes froides, légumes séchés à l'huile d'olive et tomates à l'ail.

— Vraiment ? lança Rocco tout en piquant un morceau de viande au bout de sa fourchette. Dans ce cas, pourquoi vous permettez-vous de juger mes relations avec le triste individu que vous encensez ?

— Et vous, comment pouvez-vous parler en ces termes de votre père ? s'offusqua-t-elle.

— Eh bien, figurez-vous que l'homme que j'ai connu était froid comme un glaçon. Un tyran qui aurait voulu que son fils unique s'adresse à lui comme à un monarque. Un homme qui piquait une crise si le moindre bruit venait troubler la tranquillité de son sacro-saint château où il commandait à une armée de domestiques, dit-il avec colère. C'est donc un sujet sur lequel nous ne risquons pas d'être d'accord. Mais vous ne mangez rien ?

Amy s'obligea à picorer quelques légumes, qu'elle trouva délicieux. Ce que Rocco venait de lui avouer l'avait bouleversée, mais il valait sans doute mieux changer de sujet, malgré la curiosité qui la tenaillait.

— Pourquoi avoir choisi New York ? Pourquoi pas l'Italie ? N'aurait-il pas mieux valu recommencer une nouvelle vie là où vous étiez né ?

— Je n'avais pas le choix.

— Pourquoi ?

Rocco fronça les sourcils avec agacement.

— Quand en aurez-vous fini avec cet interrogatoire ?

— Je suis comme ça, reconnut-elle avec un sourire qui aurait désarmé un monstre. Je passe ma vie à poser des questions. Sinon, comment saurais-je de quoi les gens ont véritablement besoin ?

— Et vous, de quoi avez-vous besoin ?

— Vous le savez déjà. De mon emploi. De continuer à travailler comme je le fais. Même si vous trouvez ridicule que votre père subventionne des logements pour ceux qui n'en ont pas. Même si c'est de l'argent gaspillé en pure perte. Je voudrais pouvoir vous convaincre du contraire.

Sans la quitter des yeux, Rocco rappela le serveur pour lui demander de débarrasser.

— On en revient donc toujours là, dit-il.

— N'est-ce pas la raison pour laquelle nous sommes ici ?

— La vie n'est pas faite que de travail, déclara-t-il, conscient de ce que ce propos pouvait avoir de surprenant de sa part.

Pourtant, quand il emmenait une femme au restaurant, ce n'était pas précisément le thème qu'il s'attendait à lui voir aborder. Et voilà qu'Amy l'interrogeait sans relâche sur ses loisirs, son passé et sa vie privée. Il se doutait bien qu'il aurait du mal à lui faire lâcher prise.

— Cette réflexion me surprend beaucoup dans la bouche de quelqu'un qui a dédié sa vie à son travail.

— Encore une affirmation péremptoire ! remarqua-t-il en voyant arriver le plat principal.

Amy, qui n'avait pas l'habitude d'un tel festin, se concentra sur son plat. Evidemment, le salaire de Sam ne lui permettait pas de telles extravagances et jamais elle ne lui aurait fait l'affront de proposer de payer. D'ailleurs, s'il avait su exactement combien elle gagnait, il en aurait sans doute été mortifié, car il avait toujours présumé que leurs salaires étaient comparables. Mais Antonio était beaucoup plus généreux que l'Etat.

— Vous n'auriez jamais pu réussir comme vous l'avez fait, en moins de dix ans, sans consacrer chaque minute à votre travail. C'est d'ailleurs ce que j'ai lu.

Rocco, qui allait porter sa fourchette à sa bouche, s'arrêta à mi-chemin.

— Vous l'avez lu ? Votre travail exige donc que vous lisiez le *New York Times* ?

— Je ne suis pas abonnée au *New York Times*, rétorqua Amy. Contrairement à votre père qui a découpé chaque article vous concernant depuis votre départ.

Amy baissa les yeux sur son assiette, soudain indifférente au poisson fondant et aux petits légumes cuits à la perfection. Antonio avait suivi avec une fierté sans pareille la progression de son fils. Avec son look exceptionnel, ses origines mystérieuses et son génie particulier pour changer en or tout ce qu'il touchait, celui-ci s'était vite retrouvé en vedette dans les pages financières. Un homme qui ne pouvait passer inaperçu.

— Pardon ? demanda-t-il.

— J'ai dit que votre père collectionnait les articles de presse vous concernant.

Rocco reposa sa fourchette dans son assiette.

— Décidément, tous les moyens sont bons pour que je me sente coupable d'avoir quitté l'Angleterre ! s'exclama-t-il, en dépit du trouble qu'il ressentait.

Mais, au ton de la voix de la jeune femme, il avait compris que celle-ci ne mentait pas.

— Vous êtes réellement l'être le plus cynique que j'aie jamais rencontré, reprit Amy. Je vais vous dire où il garde ces articles : dans sa bibliothèque. Le dernier tiroir de son bureau. Tout est classé dans l'ordre chronologique. Vous me croyez, maintenant ?

— Si vous espérez jouer les agents de liaison entre mon père et moi, pour que nous tombions dans les bras l'un de l'autre et favorisions votre carrière, vous allez être déçue, déclara Rocco avant de revenir à son assiette.

Malgré tout, cette révélation le déstabilisait. Comment expliquer l'attitude du vieil homme ? Depuis son départ, il n'avait rencontré son père qu'à quatre occasions, et toujours pour signer des papiers concernant l'entreprise. Ils ne s'étaient presque pas parlé. Jamais Antonio Losi n'avait donné l'impression de tirer fierté de la réussite de son fils. S'intéressait-il également à ce qu'on racontait de sa vie privée ? Dans ce cas, il n'ignorait pas que Rocco était aussi doué pour faire de l'argent qu'il l'était peu en matière de sentiments. Comment aurait-il pu réussir sa vie affective alors qu'il avait été élevé dans la certitude que toute relation amoureuse connaît une fin douloureuse ? En fait, après la mort de sa mère, son père était resté tragiquement incapable d'aller de l'avant et d'accepter l'enfant que sa femme lui avait laissé.

— Le seul moyen qui me reste de garder mon travail, dit froidement Amy en rangeant ses couverts sur son assiette, est de réussir à vous prouver que ce que nous faisons n'a pas de prix. Quant à vos relations avec votre père, elles ne me concernent pas.

— En réalité, répondit Rocco sans cesser de l'observer, tout ce qui vous intéresse, c'est de conserver votre emploi. Mais n'avez-vous jamais eu envie de tout lâcher pour une activité différente ?

La jeune femme le fixa d'un air étonné.

— Mais si nous parlions d'autre chose que de ce sujet ennuyeux ? poursuivit-il.

Il la vit rougir. Pour Rocco, jusqu'à ce jour, les femmes avaient toujours constitué une espèce au comportement très prévisible. Elles aimaient flirter avec lui et prenaient plaisir à deviner par quels moyens il les attirerait dans son lit. Et lorsqu'elles commençaient à vouloir lui prouver qu'elles avaient toutes les qualités requises de la parfaite épouse, il ne lui restait plus qu'à se débarrasser d'elles, si attirantes fussent-elles, pour préserver son indépendance.

Mais toutes ces femmes n'avaient vraiment rien à voir avec celle qui était assise en face de lui…

— Comme vous voulez, finit-elle par répondre. Passons donc aux banalités.

— Voulez-vous un café ? demanda-t-il, ignorant sa remarque.

— Je préférerais rentrer.

— Vous n'avez pas envie d'un verre de porto ? C'est tellement anglais, et voilà des années que je n'en ai pas bu. Les Américains dînent trop tôt… Vous joindrez-vous à moi ? dit-il en se rendant compte qu'il n'avait presque rien bu de la soirée.

Sans doute un effet pervers des discours moralisateurs d'Amy…

— Je suis très étonnée que vous cherchiez à prolonger notre dîner, puisque vous n'avez pas l'air d'apprécier ma conversation, remarqua-t-elle sans réussir à se sentir aussi calme et maîtresse d'elle-même qu'elle l'aurait souhaité. Mais il se trouve que je n'ai jamais bu de porto. Alors, pourquoi pas ?

Rocco passa commande et le serveur revint quelques

minutes plus tard avec deux verres. Il ne fallut pas plus de trois gorgées à Amy pour se sentir de nouveau légèrement flotter.

— Vous n'avez donc jamais eu envie de revenir en Angleterre ? dit-elle en dépit du regard glacial qu'il lui décocha. Sans parler de votre père, vous ne ressentez pas la moindre nostalgie ? Même pas pour le porto, le thé, ou la reine ?

— Pour le porto peut-être, lança Rocco en faisant la grimace. Même si je suis parti à vingt-deux ans, je savais déjà l'apprécier. Toutefois, on en trouve ailleurs qu'ici. Quant au thé, bien sûr, il n'aura nulle part ailleurs le même goût qu'ici. Vous n'êtes pas d'accord ?

— Je n'ai jamais quitté le pays.

— Et concernant la reine, poursuivit-il, jamais je ne lui ai été présenté, bien que je me rappelle avoir agité un drapeau sur son passage quand j'allais encore à l'école. Je dois dire que je ne ferais pas des bassesses pour être invité au palais. Mais pour être sérieux, oui, l'Angleterre m'a manqué parce que je la voyais comme mon foyer. Nous n'allions en Italie que pour les vacances. Mais petit à petit, le temps a fait son œuvre et New York est devenu ma patrie.

— Jamais vous n'avez regardé en arrière ?

— La nostalgie n'est souvent que de la faiblesse. A quoi bon enjoliver le passé ? Non ?

Amy soupira. Rien d'étonnant à ce que Rocco n'ait pas cherché à rétablir le contact avec son père. D'autant qu'Antonio, par orgueil, n'était sûrement pas prêt à faire les premiers pas.

— Personnellement, j'aime me rappeler ce que j'ai vécu, dit-elle.

— Tout dépend des souvenirs qu'on a gardés, rétorqua-t-il

d'une voix tranchante en faisant un signe pour demander l'addition. Et puis, si vous passez votre temps à contempler votre passé, comment allez-vous réussir à évoluer ? Vous n'avez sûrement pas eu la vocation du travail social dès votre plus tendre enfance ?

En se levant, Amy se rendit compte qu'elle n'avait pas vraiment envie de partir, sans doute parce qu'elle était consciente d'avoir échoué à le convaincre.

— Cet emploi, que je ne qualifierais d'ailleurs pas de « travail social », rétorqua-t-elle tandis qu'ils sortaient du restaurant, m'a permis de me former.

— Et si vous n'aviez pas dû abandonner vos études à seize ans, qu'auriez-vous fait ? dit-il en lui ouvrant la porte de la voiture.

— Je n'en ai aucune idée, répondit-elle quand ils se furent installés tous les deux. Vous vous rappelez comment on va jusque chez moi ?

— Plus ou moins, dit-il, avant de constater qu'il était minuit passé. Mais peut-être le fait de travailler sur ces projets comble-t-il un manque, chez vous ? Après avoir veillé sur votre père, n'avez-vous pas ressenti le besoin de vous dévouer à d'autres gens et de les prendre en charge ?

— C'est ridicule, répondit Amy, soudain gênée.

— Peut-être avez-vous eu si peu l'occasion de vous amuser quand vous étiez enfant qu'une fois adulte, vous avez inconsciemment choisi le même genre de vie.

— Mais mon travail n'a rien de rébarbatif et il me plaît. Et ce n'est pas parce que vous, vous pensez que c'est une perte de temps, que vous réussirez à m'en convaincre.

— Je dois avouer que je n'en suis plus si sûr moi-même. Mais je continue à croire que vous y gâchez votre énergie et votre talent.

— Parce que maintenant, vous me reconnaissez du talent ? lança-t-elle non sans admirer son profil parfaitement ciselé. Je suppose que c'est un progrès.

— Comment avez-vous recruté votre équipe ?

— Après des entretiens.

— C'est vous qui les avez menés ?

— Ça vous choque, n'est-ce pas ? Trop jeune, sans qualification, avec seulement quelques années d'expérience.

— Pourtant, vous vous en êtes sortie. Ça vous plairait de venir travailler à New York ?

— Pardon ?

— Je verrais bien quelqu'un comme vous dans mon entreprise. Compétente. Capable de prendre des risques. Intelligente. Vous ne déstabiliseriez pas l'équipe dans laquelle vous entreriez.

La première surprise passée, Amy dut reconnaître qu'elle se sentait flattée par cette proposition. Mais pour le reste... Ne pas déstabiliser l'équipe... Elle savait ce que cela voulait dire : elle était trop quelconque pour que les hommes s'intéressent à elle autrement que comme à une collègue compétente.

Toutefois elle préféra dissimuler cette blessure d'amour- propre sous un petit rire amusé.

— Je ne peux rien imaginer de pire, déclara-t-elle.

« De pire que travailler avec un monstre de froideur et de grossièreté tel que vous, compléta-t-elle *in petto*. Rien qu'à la pensée qu'elle avait pu le trouver séduisant, elle rougissait de honte. Pourvu qu'il n'ait pas surpris un de ses regards durant le repas... »

— Mon travail ici me satisfait pleinement, reprit-elle.

— Il risque cependant de ne plus durer très longtemps.

— Dans ce cas, j'en trouverai un autre qui m'apportera davantage que la satisfaction de gagner toujours plus.

— C'est tout à votre honneur. Pouvez-vous préciser un peu ce que vous entendez par là ?

— Je ne sais pas exactement. Je pourrais aussi reprendre des études pour devenir enseignante.

Avant qu'il ait pu lui en demander davantage, ils arrivèrent devant chez elle.

— Merci pour le dîner, dit-elle en ouvrant la portière.

A sa grande surprise, Amy le vit sortir à son tour pour l'accompagner jusqu'à la porte.

— Je dois avoir du sang de gentleman dans les veines, remarqua-t-il comme s'il lisait dans les pensées de la jeune femme, tandis qu'elle cherchait sa clé dans son sac.

Avant qu'elle ait pu protester il lui avait pris la clé de la main. Il ouvrit la porte en s'effaçant pour la laisser passer, avant d'entrer à son tour. En le frôlant, elle sentit un frisson courir au creux de ses reins.

— Vous saurez retrouver votre chemin jusque chez votre père ? balbutia-t-elle, troublée.

— Je serais très heureux de prendre un café avant d'entamer ce long trajet de retour. Un petit quart d'heure, pas plus.

— Pourtant, le trajet n'est pas long, protesta-t-elle. A cette heure-ci, on roule bien.

Amy se tut un moment avant de se sentir obligée de reprendre.

— Bien sûr, si vous avez vraiment besoin de boire un café..., proposa-t-elle à contrecœur.

*
**

La maison était petite mais confortable. Rocco sentit que les tableaux qui ornaient les murs, tout comme les vieux meubles restaurés, avaient été choisis avec amour et goût.

— Le salon est ici, dit-elle en lui montrant une porte sur la droite. Si vous voulez vous installer, je vais vous apporter un café.

— Je ne vous dérange pas, au moins ? s'enquit-il sur un ton innocent.

— Pourquoi donc ? Après le magnifique repas que vous m'avez offert...

Tournant les talons, elle disparut dans la cuisine. C'était bien la première fois de sa vie que Rocco voyait s'éclipser aussi vite une femme qu'il raccompagnait jusque chez elle. Puis, tout en écoutant distraitement les bruits divers qui lui parvenaient, il se demanda pourquoi il avait tant insisté pour se faire inviter, au lieu de rentrer chez lui.

Soudain, le téléphone sonna et il décrocha machinalement.

Au moment où Amy faisait irruption dans la pièce pour répondre, il avait déjà reposé le combiné.

— J'avais cru entendre le téléphone sonner.

— C'est exact.

— Dans ce cas, pourquoi ne pas m'avoir appelée ?

— Pour vous perturber dans la préparation du café ? Sûrement pas. C'était votre ami.

— Sam ? C'était Sam ? s'écria-t-elle, bouleversée.

— J'ai eu beau lui proposer d'aller vous chercher, il a dit qu'il ne voulait pas vous déranger et qu'il vous rappellerait demain.

— Vous n'auriez jamais dû répondre !

— Je ne vois pas où est le problème.

Amy s'imagina la réaction de Sam lorsqu'il avait entendu

cette voix nonchalante et un peu rauque résonner dans l'appareil à une heure aussi tardive.

— Vous ne voyez pas le problème ? lança-t-elle en fusillant Rocco du regard. Je ferais mieux de le rappeler immédiatement pour tout lui expliquer. Mais si je me précipite, je vais avoir l'air coupable...

Et elle se laissa tomber sur le canapé, accablée, tandis qu'il l'observait, impassible, feignant d'ignorer que tout était de sa faute.

5.

Laissant Amy à ses pensées, Rocco alla dans la cuisine pour terminer de préparer le café.

Cette femme avait du goût, toute la décoration en témoignait. La cuisine peinte en jaune, ornée d'affiches pop'art originales et de stores verts était charmante. Même la table en pin bon marché avait été choisie avec soin pour s'accorder avec l'ensemble.

Lorsqu'il revint dans le salon, la jeune femme n'avait pas bougé.

— Vous voulez un café ? s'enquit-il.

— Pardon ?

— Un café. Bien fort. Quel que soit votre problème, on dirait que vous en avez besoin, dit-il en s'installant sur le canapé sans la quitter des yeux.

— Je n'ai aucun problème, rétorqua-t-elle, avec la désagréable impression qu'en entrant dans sa cuisine il avait peu ou prou pénétré dans son intimité.

Elle qui ne rechignait jamais à accueillir familièrement ses collègues et ses amis !

— En apprenant que Sam, car c'est bien de lui qu'il s'agit, n'est-ce pas ? avait entendu le son de ma voix, vous avez réagi de façon un peu hystérique. Il savait pourtant que nous devions passer la soirée ensemble, non ?

— Naturellement. Pour le travail. En fait, il jugeait très positif que vous ayez décidé de venir vous rendre compte par vous-même de notre projet.

— Dans ce cas...

— Simplement, je ne suis pas certaine qu'il se soit attendu à ce que nous dînions ensemble.

— Vous dites ça comme si j'avais cherché à vous séduire, lança Rocco, comprenant soudain que toute la soirée, il n'avait rien eu d'autre en tête.

Il l'avait observée tandis qu'elle animait sa réunion. Avec un enthousiasme communicatif, elle s'adressait à chacun et se montrait attentive à ce qu'on lui disait. Jamais il n'avait rencontré ce genre de femme et peut-être cela avait-il suffi à stimuler son désir ?

Mais le travail et le plaisir ne faisaient jamais bon ménage, il le savait très bien, et il s'était toujours interdit les aventures dans son univers professionnel. Et il devait d'autant plus se l'interdire aujourd'hui : il était le patron d'Amy et il avait pris la décision de la licencier.

— Ne soyez pas stupide, lança-t-elle sur un ton qu'il ressentit comme une agression.

Comment pouvait-il se sentir attiré par une pareille mégère ? se demanda-t-il avec exaspération.

— Je ne suis pas stupide, répliqua-t-il. Et vous vous comportez comme si vous aviez été prise en faute. Si cet homme vous fait confiance, pourquoi le simple fait que j'aie décroché lui inspirerait-il des soupçons ?

— Bien sûr qu'il me fait confiance. Mais comment réagiriez-vous si vous appeliez votre petite amie à cette heure et qu'une voix masculine vous répondait ?

Amy sentit la colère la gagner. Pour toute réponse, Rocco haussa les épaules, se contentant de la fixer avec ce regard qui la mettait si mal à l'aise.

— D'accord. J'admets que si un homme décrochait chez mon amie, je me demanderais ce qu'il y fait. Et si j'étais certain qu'elle me trompe, je n'hésiterais pas à la laisser tomber.

— Vous voyez bien, s'exclama Amy non sans ressentir à propos de la vie de Rocco une curiosité qui n'avait rien de professionnel. Et ça ne vous ferait ni chaud ni froid ?

— Non. Pourquoi ?

— Ça vous serait donc égal que quelqu'un se comporte de cette façon derrière votre dos ? Ça vous serait égal d'avoir investi dans une relation pour découvrir qu'en fait, la personne qui vous est chère est très différente de ce que vous croyiez ?

Décidément cette femme avait l'art de dériver vers des sujets personnels sans même qu'il s'en rende compte.

— Absolument. Il se trouve que je m'arrange pour ne jamais m'engager au point de ne pas pouvoir faire marche arrière.

— Cela explique sans doute pourquoi vous ne comprenez pas que je puisse pour ma part m'engager à fond dans ce que je fais, remarqua-t-elle tout en admirant une fois de plus ses traits harmonieux et la courbe sensuelle de sa bouche.

Comment un être aussi odieux pouvait-il la fasciner ainsi, alors que Sam, tout en se montrant adorable...

— Décidément...

— Vous trouvez que je me répète ? s'enquit-elle avec une petite moue.

— Quelqu'un a-t-il déjà réussi à vous faire lâcher le morceau ?

— Vous n'êtes pas très aimable.

— Effectivement, ce n'est pas ma qualité première.

Il regarda sa tasse, vide depuis quelques minutes, et la posa sur la table basse.

— Je vais y aller, déclara-t-il.

Amy se leva rapidement.

— Très bien, répondit-elle sans trop comprendre pourquoi elle se sentait déçue.

— Et bon courage pour demain, ajouta-t-il.

— Pour demain ?

— Oui, pour votre petite explication avec Sam, répondit-il en la suivant dans l'entrée.

— Vous devez avoir raison : j'ai un peu dramatisé. Sam me connaît assez pour savoir qu'avec vous, je ne risque rien.

— Pourquoi ça ?

— Je lui ai confié que vous vouliez vous débarrasser de moi, avoua Amy en rougissant.

— Je ne veux pas me débarrasser de vous, s'exclama Rocco. Je vous ai déjà dit que l'entreprise de mon père a besoin de gens comme vous... et vos collaborateurs.

— De toute façon, il sait parfaitement que jamais..., commença-t-elle sans réussir à trouver une formule satisfaisante pour achever sa phrase.

— Quoi, jamais ? demanda Rocco en s'adossant fermement à la porte d'entrée comme pour éviter qu'elle ne puisse l'ouvrir.

— Vous savez bien, balbutia-t-elle en s'empourprant.

— Aucune idée !

— Vous avez très bien compris, lança-t-elle avec un soupir exaspéré. Sam sait qu'il ne peut rien se passer entre nous. Vous n'êtes pas le genre d'homme susceptible de m'intéresser.

— Méfiez-vous de ceux qui ne sont jamais jaloux. Ça

a beau être une émotion primitive, un homme amoureux ne peut y échapper.

— Même à notre époque ? Et vous-même ? Vous prétendiez tout à l'heure ne jamais avoir ressenti de jalousie.

— Je viens de vous expliquer que c'est un sentiment naturel quand on est amoureux. Ce que j'ai pris soin d'éviter jusqu'ici.

— Eh bien, Sam a beau m'aimer, il ne vous ressemble pas.

Comme Rocco levait les sourcils en signe d'incrédulité, elle pensa qu'il devait tout simplement douter qu'un homme puisse être amoureux d'elle.

— Il m'a récemment demandé de l'épouser, précisa-t-elle.

Rocco fut surpris de sentir le désagrément que lui causait cette nouvelle. Il resta quelques secondes silencieux avant de demander :

— Dois-je vous présenter mes félicitations ? s'enquit-il nonchalamment.

Pressée d'en finir avec ce sujet, Amy ne répondit pas.

— Alors ? insista-t-il, vous ne m'avez pas dit si vous aviez accepté ou pas.

— Se marier n'est pas une décision qu'une femme peut prendre à la légère.

— C'est certain.

— Sam le comprend d'ailleurs très bien.

— Je n'en doute pas.

— Mais tout ça ne doit rien avoir de passionnant pour vous, remarqua-t-elle avec un petit rire, tout en se demandant comment elle allait pouvoir atteindre la poignée de la porte.

— Je vous ai déjà expliqué que je m'intéressais à la

vie de mes collaborateurs. En fait, vous avez peut-être la solution à votre problème actuel, acheva-t-il en se caressant pensivement le menton.

— Je ne comprends pas.

— Une femme mariée ne tarde pas à vouloir des enfants, ce qui n'est guère compatible avec une vie professionnelle exigeante. A moins que Sam ne fasse partie de ces hommes qui encouragent leur femme à travailler ?

Non sans gêne, Amy se souvint qu'en lui faisant sa demande, Sam avait suggéré qu'elle pourrait quitter son emploi pour un autre, moins stressant, qui lui laisserait davantage de disponibilité.

— Ecoutez, mon mariage ne résoudrait pas le problème que je vous pose, protesta-t-elle. Je vous rappelle que cinq autres personnes sont partie prenante dans cette affaire.

— Puisque vous y faites allusion, je désirerais les voir le plus tôt possible.

— Pourquoi ? Ils sont au courant de vos intentions. Et inutile de faire comme si votre cœur était en conflit avec votre raison. Vous n'avez jamais éprouvé le moindre sentiment.

— En êtes-vous si sûre ? lança-t-il d'une voix rauque où perçait un soupçon d'amusement.

— Oui. Vous refusez absolument de vous laisser guider par vos émotions, qu'il s'agisse de votre vie privée ou de votre travail, vous me l'avez dit vous-même.

Soudain, Rocco la prit par les épaules et l'attira à lui.

Elle ne devait pas s'attendre à ça, se dit-il avec satisfaction en voyant les yeux de la jeune femme s'élargir de surprise. Et avant qu'elle ait pu seulement réagir, il se pencha vers elle pour lui prouver à quel point elle avait fait erreur en l'accusant d'être froid et insensible.

Une seconde avant que leurs lèvres ne se touchent, Amy comprit ce qu'il allait faire. Puis, il n'y eut plus que la caresse de la bouche pleine et sensuelle de Rocco, et le ballet passionné de leurs langues. Sentant ses doigts sur sa nuque, elle frémit et se lova contre lui, comme pour rechercher un contact plus étroit encore entre leurs deux corps.

Au contact de son torse puissant, ses seins se durcirent. Jamais de sa vie elle ne s'était sentie à ce point submergée par le désir. Comme si des digues depuis toujours dressées devant ses émotions et sa sensualité, s'ouvraient enfin pour lui laisser entrevoir un monde dont elle ignorait jusque-là l'existence.

Un monde aussi exquis que voluptueux.

Un piège auquel il lui fallait absolument échapper.

Revenant à la réalité, elle se dégagea.

— Que vous arrive-t-il ? s'écria-t-elle d'une voix mal assurée, tremblant de tout son corps.

Rocco plissa les yeux. Le trouble de la jeune femme ne lui avait pas échappé et il fut tenté de lui demander comment elle pouvait envisager d'épouser un homme, tout en réagissant si favorablement au désir d'un autre.

— Je n'ai pas pu résister, avoua-t-il en se retournant pour ouvrir la porte et laisser entrer le souffle frais de la nuit.

Amy se sentit soudain en proie à un brusque accès de colère. Ainsi, elle l'avait laissé marquer un point. Pire encore, elle y avait pris plaisir. Loin de le repousser quand il l'avait touchée, elle avait réagi à son contact.

— Vous détestez qu'on vous contredise, n'est-ce pas ?

lança-t-elle. Vous ne supportez pas les critiques et vous avez choisi de vous défendre de cette façon ?

Rocco lui fit face et plongea son regard dans celui de la jeune femme.

— Peut-être. Mais vous, pour quelle raison m'avez-vous répondu ?

— Je pense qu'il est vraiment temps que vous partiez.

— Inutile de faire l'autruche. Quel genre de relation entretenez-vous avec votre prétendu fiancé si un autre homme peut aussi facilement vous embrasser ?

— Vous m'avez surprise, balbutia-t-elle en rougissant.

Il haussa les épaules, songeant avec agacement que c'était plutôt elle qui l'avait pris par surprise. Et que ce baiser n'avait rien eu d'anodin. Si elle ne s'était pas dégagée, il aurait pu passer la soirée entière à l'embrasser. Rien à voir avec la petite leçon qu'il avait eu envie de lui donner parce qu'elle avait la langue trop bien pendue.

Il fit un pas vers sa voiture, un sourire de dérision aux lèvres. Lui, Rocco Losi, un fauve de la jungle new-yorkaise, un homme connu pour ses liaisons avec des femmes qui faisaient la couverture de *Vogue*... Voilà qu'après avoir échangé un simple baiser avec une gamine entêtée, il était la proie d'un désir brûlant qui le laissait désemparé et frustré.

— A propos, lança-t-il en se tournant de nouveau vers la jeune femme, toujours debout sur le seuil, n'oubliez pas d'organiser cette réunion avec les autres membres de votre équipe. Mon assistante vous appellera demain pour fixer une date.

Sans répondre, Amy referma la porte, les lèvres encore brûlantes du baiser qu'ils avaient partagé. Son corps commençait à peine à s'apaiser. Lui ne devait déjà plus songer qu'au travail et vérifier mentalement son planning du lendemain. Décidément, se dit-elle, une simple discussion de travail pouvait provoquer des effets secondaires très particuliers…

Avant de se mettre au lit, une demi-heure plus tard, elle avait réussi à se convaincre que ces effets secondaires seraient sans conséquences. Et en dépit de ses craintes, elle sombra dans un sommeil sans rêves qui dura jusqu'au matin.

Lorsque la sonnerie du téléphone la réveilla le lendemain matin, à 6 h 15, elle regretta de ne pas avoir pu dormir un peu plus longtemps. C'était Sam. La tête pleine des événements de la veille, elle éprouva quelque difficulté à se concentrer sur la conversation. Sam lui demanda comment les choses s'étaient passées et s'ils pouvaient se retrouver après le travail.

— J'avais l'intention de t'appeler un peu plus tard sur ton portable, mais je suis en formation toute la journée. Tu sais ce que c'est, ajouta-t-il.

Effectivement. Des heures d'ennui, un sandwich médiocre pour le déjeuner, que Sam engloutirait avec ses chers collègues tous aussi étroits d'esprit que lui…

Atterrée par ce flot de pensées négatives, Amy tenta de se concentrer sur ce que Sam disait, et accepta de le retrouver à 19 heures à leur pizzeria favorite, bien qu'elle eût préféré consacrer sa soirée à mettre de l'ordre dans ses papiers. Alors qu'elle s'attendait à ce qu'il lui reproche d'avoir invité Rocco chez elle à une heure indue, il n'en fit rien.

Lorsqu'elle eut raccroché, elle était parfaitement réveillée et assez consternée par la réaction de Sam. Elle eut beau se répéter toute la journée que les crises de jalousie étaient un signe de faiblesse et qu'une confiance sereine était la marque d'un esprit fort, elle n'en ressentait pas moins une désagréable sensation de malaise.

A 16 h 30, le téléphone sonna dans son bureau. Au bout du fil une voix rauque et sensuelle suffit à précipiter les battements de son cœur.

— Amy, j'ai regardé mon agenda, annonça Rocco. Je vais avoir très peu de temps cette semaine.

— Dans ce cas, nous remettrons cette réunion à la semaine suivante, proposa-t-elle, songeant à l'effet qu'avait produit sur elle le baiser qu'il lui avait donné.

— J'aurais cependant une possibilité cet après-midi.

— Cet après-midi ? Mais il est déjà 16 h 30.

— Mon Dieu ! Si tard ! Remarquez, je peux passer à votre bureau vers 18 heures, une fois que j'en aurai terminé avec ce qui me reste à faire ici.

— Cela me semble un peu… difficile, déclara Amy en se demandant si Sam accepterait une fois plus qu'elle annule leur rendez-vous.

Sam… Quoi qu'il en soit, il fallait qu'elle le voie. Cette relation ne pouvait les mener nulle part, elle devait absolument le lui dire. Si elle n'était pas prête à l'épouser, elle n'avait pas le droit de le laisser espérer.

— Ah bon ! Pourquoi, s'il vous plaît ?

— La moitié de l'équipe se trouve sur le terrain.

— Vous n'avez qu'à les appeler sur leurs portables et leur demander de passer au bureau à 18 heures. Je pense qu'étant donné l'enjeu de la réunion, ils n'hésiteront pas à s'y rendre.

— L'enjeu ? Qu'entendez-vous par là ?

— Amy, dites-leur d'être là entre 18 heures et 18 h 30, voilà tout. Ensuite, je vous emmènerai dîner.

— Pour faire passer la pilule ?

— Arrêtez de me traiter en ennemi, s'exclama-t-il.

Rocco eut une moue de contrariété. Ainsi, ce qui s'était passé la nuit précédente n'avait fait que renforcer les préjugés de la jeune femme à son égard... Mais comment pouvait-il accorder tant d'importance à cette histoire alors qu'il avait tant d'affaires à traiter, tant de marchés à conclure et au moins deux voyages d'affaires à programmer ?

— C'est d'accord, concéda-t-elle enfin.

Amy secoua la tête. Elle allait convoquer toute son équipe et les laisser se débrouiller avec lui pendant qu'elle-même se rendrait à son rendez-vous avec Sam. Au fond, Rocco Losi n'avait rien de neuf à lui apprendre. Cet homme était une véritable machine à gagner de l'argent, un cœur de pierre.

— Dans ce cas, je serai chez vous à...

Rocco s'interrompit, soudain conscient qu'il lui tardait de la revoir.

— Je vais vérifier nos stocks de café, intervint-elle. Je doute que l'équipe fasse des bonds de joie à la perspective de cette réunion, mais, comme vous l'avez dit, il vaut mieux qu'ils entendent de votre propre bouche ce que vous avez à leur annoncer. Pourriez-vous me dire exactement à quelle heure vous comptez arriver ? Je ne tiens pas à ce qu'ils passent la soirée entière à vous attendre.

— Je serai là au plus tard à 18 h 30.

A cette heure, Amy était chez elle, se préparant à aller rejoindre Sam. Après avoir rassemblé son équipe et leur avoir expliqué que le grand patron voulait les voir, ce qui avait provoqué quelques remous, elle les avait assurés que sa présence n'avait rien d'indispensable : elle avait déjà entendu tout ce que Rocco Losi avait à dire sur l'absence de bénéfices générés par leur filiale et elle préférait se rendre à la pizzeria pour mettre un terme à sa relation avec Sam.

Ses quatre collaborateurs et elle, songeait Amy tout en s'observant dans son miroir, constituaient une sorte de famille. La seule qui lui resterait quand Antonio serait parti pour l'Italie. Dès lors, rien d'étonnant à ce qu'elle soit si désespérée de les voir perdre leur emploi. Un sentiment que Rocco Losi ne comprendrait sans doute jamais. Quelle serait sa réaction ce soir, quand il découvrirait qu'elle lui avait fait faux bond ?

Elle pensa aux moments difficiles qui l'attendaient en compagnie de Sam. Il s'était toujours montré si adorable et compréhensif... Mais depuis quelque temps, reconnut-elle un peu plus tard en tentant de se faufiler à travers les embouteillages, elle avait découvert que cela n'allait pas sans une certaine agressivité et une certaine mesquinerie. Comment allait-il réagir ?

En l'apercevant, assis au fond de la pizzeria, l'air un peu tendu, Amy ne put s'empêcher de le comparer à Rocco.

— Dis donc, remarqua-t-il en souriant, tu as vingt minutes de retard.

— La circulation...

Jamais encore elle n'avait pris conscience de la vétusté du restaurant. Dix ans plus tôt, il avait sans doute eu sa période de gloire, mais depuis, il avait subi de plein fouet la concurrence des fast-foods environnants.

— Tu as l'air épuisée, constata-t-il en emprisonnant les

mains de la jeune femme dans les siennes. Les choses ne
se passent pas comme tu le souhaites avec ton Italien ?

— Il s'appelle Rocco, dit-elle en se dégageant
doucement.

Vingt minutes plus tard, il en était toujours à lui
raconter par le menu les cours auxquels il avait assisté
dans la journée. Le serveur s'était approché plusieurs fois
de leur table pour prendre la commande, mais Sam était
trop absorbé pour s'intéresser à la nourriture.

— Ecoute, finit-elle par lui dire alors qu'il s'interrom-
pait pour reprendre son souffle. J'ai bien réfléchi et j'ai
quelque chose de très important à t'annoncer...

6.

Rocco n'eut aucun mal à localiser la pizzeria située en bordure d'une rue passante, ainsi que Sam et Amy assis au fond de la grande salle presque vide. Deux serveuses bavardaient près de la caisse, tandis que les rares clients parlaient à voix si basse qu'on se serait cru dans une bibliothèque.

Son entrée provoqua quelques remous qu'il remarqua du coin de l'œil, mais avant qu'une des serveuses ait eu le temps de s'adresser à lui, il se dirigea vers la table où Amy et Sam semblaient en pleine conversation.

Saisissant au vol la dernière phrase de la jeune femme, il l'interpréta de telle façon qu'une bouffée de jalousie l'envahit, si violente qu'il eut du mal à reprendre le contrôle de lui-même.

De leur côté, ils étaient trop absorbés pour le remarquer. Evidemment, quand on parle mariage…, songea-t-il avec aigreur.

— Excusez-moi de vous interrompre, dit-il en posant la main sur leur table.

Avant qu'ils aient pu répondre, il avait approché une chaise et s'était assis.

Amy fut la première à rompre le silence. Elle comprit brusquement qu'en dépit de l'anxiété qu'avait provoqué en elle la perspective de cette soirée avec Sam, elle n'avait cessé de se demander comment Rocco réagirait à son absence. Maintenant, elle le savait.

— Que faites-vous ici ? Comment m'avez-vous trouvée ?

— Jamais à court de questions, n'est-ce pas ? répondit-il.

Rocco se tourna vers le jeune homme.

— Je suis Rocco Losi. Vous devez être Sam, dit-il sans tendre la main.

— Vous ne m'avez toujours pas répondu, intervint Amy.

— Je vais le faire dans une minute. Mais commandons d'abord un peu de vin, déclara-t-il en jetant un coup d'œil à la serveuse qui accourut immédiatement.

Ignorant les protestations de Sam qui prétendait ne pas boire, il commanda une bouteille de blanc.

— Tout le monde boit, asséna-t-il avec une telle arrogance qu'Amy lui jeta un regard féroce. Sauf ceux qui se flattent de résister à la tentation. Personnellement, je trouve que succomber de temps en temps nous rend plutôt meilleurs.

— Merci de nous faire profiter de ce petit cours de morale, mais pourriez-vous maintenant nous expliquer ce que vous faites ici ? rétorqua Amy, furieuse qu'il l'empêche de clarifier la situation avec Sam.

— Vous avez sans doute oublié la réunion…

— Elle avait été fixée en dehors des heures de travail, intervint Sam. Amy n'a pas à travailler après 17 heures. De 9 heures à 17 heures, ce sont les horaires de travail.

Rocco le regarda comme s'il lui avait parlé une langue étrangère avant de se tourner vers Amy.

— J'ai été surpris de ne pas vous trouver, reprit-il,

d'autant que vous connaissez mon opinion sur ceux qui rechignent à faire des efforts quand c'est nécessaire.

Amy serra les poings sous la table. « Pourvu que Sam n'intervienne pas », supplia-t-elle *in petto*. S'il persistait, la situation ne ferait qu'empirer.

— J'ai pensé que ma présence n'apporterait rien de nouveau, expliqua-t-elle calmement. Je ne croyais pas être indispensable.

— Vos collaborateurs, qui n'étaient sans doute pas de cet avis, m'ont expliqué où je pourrais vous trouver, rétorqua-t-il froidement.

Rocco goûta le vin. Exécrable… Il se força pourtant à en avaler quelques gorgées. Jamais il ne s'était senti aussi malheureux. Jusqu'à présent, la vie lui avait fait beaucoup de cadeaux : un travail très prenant, plus d'argent qu'il n'en pouvait dépenser, le respect et l'admiration de tous ceux qui comptaient dans le monde des affaires, des liaisons avec des femmes délicieuses. Pourquoi s'en ferait-il au sujet de ses relations avec son père ou parce que la fille assise à côté de lui attendait avec impatience qu'il ait tourné les talons pour reprendre la main de son amoureux ?

Il se leva et fixa Amy.

— Je désirerais vous voir dès demain matin dans mon bureau, si du moins vous réussissez à vous libérer. Vous êtes si occupée…

— Vous êtes injuste, protesta Amy en rougissant de colère.

— Amy se donne corps et âme à son travail, monsieur Losi. Votre père en était convaincu, intervint Sam.

— Je suis capable de plaider ma cause toute seule, Sam, lança Amy avec irritation.

— Ne l'écoutez pas, déclara Rocco. Votre point de vue m'intéresse énormément.

— Je serai dans votre bureau demain à la première heure, intervint la jeune femme.

— Monsieur Losi, reprit Sam, apparemment ravi d'avoir l'occasion de développer des idées qui lui étaient chères, trop souvent, les gens de votre espèce ne tiennent guère compte de ce qu'un homme ordinaire pourrait avoir à leur dire…

Rocco le regarda en feignant le plus vif intérêt, tandis qu'Amy se mordait la lèvre en voyant la lueur sarcastique qui brillait dans ses yeux. Mais Sam continua à disserter pendant de longues minutes sans qu'elle puisse l'interrompre. Quand il eut terminé, il prit tendrement sa main dans la sienne.

— Amy et moi, nous avons encore beaucoup à nous dire, conclut-il en souriant à Rocco. Ce qui l'a sans doute amenée à faire passer son travail au second plan, contrairement à ses habitudes.

— Très bien, je vous laisse, dit ce dernier en souriant. Vous devriez goûter ce vin. Je suis certain qu'il vous plaira.

Sur ces dernières paroles, Rocco tourna les talons.

Après tout, pourquoi aurait-il voulu empêcher cette idiote de commettre une folie ? pensa-t-il en se glissant au volant de sa voiture. Elle était jeune et aurait tout le temps de s'en repentir…

Il se dirigea vers le quartier où il avait dîné la veille en compagnie de la jeune femme. Un quartier très animé et qui comptait de nombreux bars. Exactement ce dont il avait envie.

Il entra dans le premier qui se présenta, s'assit sur un tabouret et commanda un whisky, tandis qu'affluaient à sa mémoire des souvenirs et des sentiments qu'il refoulait depuis longtemps.

Ce manque d'assurance, d'abord, qu'il avait ressenti tout au long de son adolescence et qui prenait racine dans sa relation avec son père. Un mal-être refoulé qui avait suscité en lui cette détermination farouche, cette nécessité de réussir. New York lui avait permis de s'en sortir. Alors, qu'était-il revenu faire ici ? s'interrogea-t-il en contemplant son verre vide avant d'en commander un autre.

Il avait fini par dénicher l'album dont Amy Hogan lui avait parlé. Ces pages racontaient sa vie entière. Son histoire. Sa réussite. Des événements qu'il avait presque oubliés. Des photos de la presse à scandales. Tout cela soigneusement classé. Et sur la première page, une photo de lui à sept ans dans son uniforme de pensionnaire, sa valise posée à côté de lui. Un petit garçon prêt à affronter le monde sans pitié de l'internat. Il ne se rappelait même plus qui l'avait prise !

Depuis qu'il était de retour, il avait à peine échangé quelques mots avec son père. Des bribes de conversation, le plus souvent en présence d'un tiers.

En terminant son troisième whisky, il se rendit compte qu'il n'était plus en état de conduire. Mieux valait laisser sa voiture dans un parking où il la ferait chercher le lendemain.

L'idée de rentrer chez lui ressasser ses souvenirs ne lui souriait guère. Il avait besoin de compagnie. Chez lui, il n'aurait pas manqué d'amis à appeler, sans parler des femmes qui auraient été trop heureuses de le distraire de ses pensées moroses.

Mais ici...

Tout en arrêtant un taxi, il se dit qu'il pourrait faire une petite visite à Amy. Et plus il y réfléchissait, meilleure lui semblait cette idée. Pourquoi ? Il n'en savait trop rien, et d'ailleurs, à quoi bon se poser trop de questions ?

Il donna l'adresse de la jeune femme au chauffeur.

Une demi-heure plus tard, en entendant frapper à sa porte, Amy poussa un gémissement désespéré : l'heure qui venait de s'écouler avait compté parmi les plus pénibles de sa vie.

Comment avait-elle pu se tromper à ce point sur la personnalité de Sam ?

Une fois Rocco parti, il avait adressé à Amy un sourire confiant, sûr de l'entendre accepter sa demande en mariage.

Comme elle lui expliquait calmement qu'elle n'avait pas envie de s'engager et encore moins de se marier, le sourire du jeune homme s'était effacé pour laisser place à l'incrédulité.

— Je... je ne comprends pas, avait-il balbutié. Nous nous entendons si bien ! D'ailleurs, tu as été la première à le dire.

— Oui, mais...

A chacune des objections de Sam, elle avait été incapable d'apporter une autre réponse. Jusqu'à ce qu'elle se sente obligée de mettre les choses au point : elle n'était pas amoureuse de lui, voilà tout.

C'est alors que la situation s'était réellement détériorée...

Brusquement, la stupeur de Sam s'était transformée en rage. Le visage rouge, il s'était penché vers elle et l'avait accusée d'avoir profité de sa gentillesse pour le mener en bateau. Muette d'étonnement, elle avait supporté ses reproches. Elle avait fini par quitter le restaurant quand il avait prétendu qu'elle aurait dû lui être reconnaissante pour lui avoir proposé de l'épouser alors qu'elle était en train de devenir une vieille fille obsédée par son travail, incapable de nouer une relation réussie.

Dès qu'Amy était arrivée chez elle, elle s'était déshabillée et avait entassé ses vêtements dans la machine, comme si une lessive pouvait suffire à effacer cette scène humiliante. Puis elle avait enfilé un vieux pantalon gris et un T-shirt trop large.

Si c'était Sam qui frappait à sa porte en ce moment, pour qu'elle lui offre une deuxième chance, il allait trouver à qui parler ! Entrebâillant la porte autant que le lui permettait la chaîne, elle constata que ce n'était pas lui qui tambourinait à sa porte...

— Vous ! Que faites-vous là ? lança-t-elle sur un ton suspicieux, en dépit de son soulagement.

Rocco, qui ne connaissait pas lui-même la réponse à cette question, s'appuya précautionneusement au chambranle avant de la toiser d'un regard noir.

— Quand allez-vous vous décider à me laisser entrer ? Et à quoi sert cette chaîne ? Le quartier est donc si mal famé ? A moins qu'il n'y ait des gens que vous vouliez tenir à l'écart ?

— Une ou deux personnes, peut-être, répondit-elle d'un air entendu.

— Mais peut-être vous ai-je... interrompue ? s'enquit-il en se tordant le cou pour la scruter de la tête aux pieds. Non, tous les goûts ont beau exister dans la nature, vous n'êtes pas en tenue de charme.

— Vous ne m'interrompez pas, protesta Amy en ôtant la chaîne. Et pourriez-vous éviter ces sous-entendus répugnants ?

— Le sexe n'a rien de répugnant, même pratiqué en survêtement.

— Que faites-vous ici ? Ou plutôt non, ne me dites rien. Vous êtes là pour me raconter ce qui s'est dit à la réunion. Je sais que j'aurais dû y assister... Ça vous arrive parfois de vous arrêter de travailler ? dit-elle en se dirigeant vers la cuisine. Vous voulez un café ? Asseyez-vous et dites-moi de quoi il a été question, même si vous auriez aussi bien pu attendre demain matin pour m'en faire part dans votre bureau.

Elle sortit deux tasses du placard, non sans sentir peser sur elle le regard de Rocco.

— Je croyais vous trouver en compagnie de votre fiancé, déclara-t-il en allongeant ses longues jambes.

— Pour que vous puissiez de nouveau vous en prendre à lui ?

Elle n'avait aucune envie de parler de Sam. Jamais elle ne pourrait avouer à quiconque la façon dont il l'avait traitée, et reconnaître ainsi l'échec de sa vie personnelle. En tout cas, pas devant cet homme.

— Je me suis vraiment comporté de cette façon ?

— Vous le savez très bien.

Les traits de Rocco se crispèrent. Cette défense véhémente de Sam, combinée aux effets des trois verres qu'il venait d'absorber, lui donnait soudain la migraine.

— Cela vous dérangerait que nous nous installions dans un endroit plus confortable ? demanda-t-il en se levant, sans attendre la réponse d'Amy.

A peine avait-il mis le pied dans le salon qu'il s'était déjà étendu de tout son long sur le canapé.

— Un léger mal de tête, précisa-t-il au moment précis où elle se décidait à protester.

Effectivement, il avait l'air épuisé. Plus du tout arrogant, mais curieusement vulnérable.

— Vous voulez de l'aspirine ? Il y en a dans la cuisine.

— Non, mais si vous pouviez seulement éteindre la lumière un petit moment.

Elle obtempéra.

Dans la pénombre de la pièce qui n'était plus éclairée que par le plafonnier du couloir, Rocco sentit la douleur s'apaiser. Un simple mal de tête en définitive, certainement dû aux idées pénibles qu'il avait ressassées toute la soirée.

— J'ai trouvé l'album, dit-il soudain.

— Je vous demande pardon ?

— L'album de mon père.

— Ainsi, vous n'avez pas pu résister, dit-elle en souriant.

Brusquement, il ne paraissait plus si vital à Amy de discuter de son avenir ni de celui de ses collègues. Elle avait envie que Rocco lui parle de lui, même si cela lui donnait l'impression de se pencher au-dessus d'un vertigineux précipice, avec la gorge sèche et le cœur battant à tout rompre.

— Pourquoi tenez-vous tant à me parler de mon père ? demanda-t-il.

— Pour rien. Comme ça.

— Jamais je ne me serais attendu à trouver tant de coupures de journaux, dit-il en pressant le bras contre sa tête.

— Il s'intéresse énormément à ce que vous faisiez.

— Et toutes ces photos... Et surtout, ne me demandez pas pourquoi je vous parle de ça.

— Si vous préférez, nous pouvons nous entretenir de

la réunion, dit-elle avant d'avaler une gorgée de café, sans pouvoir détacher les yeux du corps allongé sur le canapé.

— Des photos de moi enfant, expliqua-t-il avec un petit rire amer. Je ne me rappelais même pas qu'il en avait pris.

Rocco se tut un instant.

— Mon père m'a mis en pension dès que j'en ai eu l'âge, pour se débarrasser de moi. Je lui rappelais trop sa femme adorée, morte en me faisant naître.

— Je suis désolée, dit-elle en le regardant droit dans les yeux.

Il avait l'impression de s'arracher à lui-même. Parler de soi. Certains en étaient capables. Pas lui.

— S'il ne cherchait qu'à se débarrasser de vous, pourquoi avoir pris toutes ces photos et les avoir gardées ?

— Ça me dépasse.

— Vous le lui avez demandé ? dit-elle avec un petit haussement de sourcils qui convainquit Rocco que sa question n'était pas le fruit d'une curiosité déplacée.

— Pardon ? demanda-t-il.

— Vous lui avez parlé de cet album ?

— Quelle idée !

— Vous devriez le faire. Sinon, vous n'obtiendrez jamais de réponse.

— Il faut qu'il se repose. Et puis, il va bientôt partir en Italie.

Il y a peu de temps, songea Rocco, la personne qui se serait risquée à poser de telles questions aurait été licenciée sur le champ.

— Donnez-lui le temps de s'installer là-bas et allez le voir pour lui en parler.

Cette suggestion fut suivie d'un long silence. Cet homme,

se dit Amy, n'avait nulle envie de se confronter à son père qu'il avait toujours considéré comme un étranger.

S'approchant du canapé dans la pénombre, elle se pencha au-dessus de lui et dut se retenir pour ne pas effleurer son visage du bout des doigts. Son intention était simplement de lui apporter du réconfort, mais, maintenant qu'elle se trouvait là, tout près de lui, son cœur battait la chamade.

Au moment où elle se relevait, Rocco posa une main sur sa nuque.

— Restez, je vous en prie. J'aime votre présence près de moi, murmura-t-il en comprenant enfin pourquoi il était là.

Il était venu la convaincre qu'elle avait tort de se marier avec ce type : même si la sécurité avait un prix, on ne pouvait pas lui sacrifier une vie entière.

Il se mit à lui caresser la nuque.

Le souffle court, Amy sentit un frisson gagner tout son corps, exactement comme quand il l'avait embrassée, sauf que maintenant, c'était plus lent, presque douloureux…

— Ainsi, vous vous sentez désolée pour moi ? murmura-t-il en écartant une mèche qui balayait la joue d'Amy.

— Sans doute votre père et vous avez commis des erreurs. Nous en commettons tous et l'orgueil peut détruire n'importe quelle relation.

Elle baissa les yeux, songeant à l'erreur qu'elle avait failli commettre elle-même en acceptant la proposition de Sam. Une décision qui aurait sûrement tourné au désastre.

Soudain, dans un mouvement d'une spontanéité qui le surprit lui-même, Rocco l'attira à lui et leurs lèvres se joignirent avec une intensité qui avait mûri dans la tension des jours précédents. Une pure folie puisqu'elle était fiancée et que la date du mariage était même sans doute déjà fixée. Lui qui s'était toujours senti trop possessif pour s'intéresser à une femme mariée ou engagée ailleurs... Mais cette femme était une exception : il fallait la protéger contre elle-même. D'ailleurs, qu'elle en soit ou non consciente, elle désirait qu'il la protège. Sinon, elle n'aurait pas répondu comme elle l'avait fait à son baiser, le corps tendu vers lui.

— Etendez-vous ici, près de moi, lui ordonna-t-il d'une voix rauque.

— Rocco...

— Ne dites rien. Vous en avez envie autant que moi.

Tremblant de tout son corps, elle se dit qu'il n'était pas le genre d'homme qui aurait dû l'attirer. Depuis qu'elle était adulte, elle s'était répété qu'elle avait besoin de sécurité : elle en avait manqué depuis son enfance. Pour elle, l'amour devait être une coquille dans laquelle elle se glisserait pour être enfin à l'abri.

Alors que Rocco Losi ne lui inspirait nulle confiance.

Pourtant, même si son instinct incitait la jeune femme à s'enfuir au plus vite, il avait suffi à cet homme de l'effleurer en chuchotant à son oreille pour éveiller en elle un désir dévorant.

Docile, elle s'allongea auprès de lui sur le divan, avide de sentir son corps se presser contre le sien.

— Dieu que j'aime ça, murmura-t-il en lui écartant doucement la tête pour l'embrasser dans le cou. Juste comme ça. Doucement.

Rocco se sentait merveilleusement bien. Elle ne portait pas de parfum. Une odeur fraîche et douce, exactement telle qu'il l'imaginait. En elle, il n'y avait rien d'artificiel, rien d'illusoire, rien qui ne vienne tout droit du cœur.

— Et toi, tu aimes ? s'enquit-il avec anxiété tout en passant la main sous son T-shirt pour lui caresser les seins.

— C'est bon, balbutia-t-elle d'une voix tremblante qui éveilla en lui un désir irrésistible.

— Déshabille-toi.

Ce n'était pas un ordre, mais une prière qui fit frissonner Amy d'excitation. Elle se redressa, reconnaissante envers l'obscurité qui dissimulait son visage empourpré. Car jamais auparavant elle ne s'était dévêtue devant un homme. Surtout sachant qu'il l'observait. Elle ôta son T-shirt qu'elle laissa tomber par terre avant de dégrafer son soutien-gorge. Contre son corps, elle sentit vibrer celui de Rocco, mince et musclé.

— Etends-toi.

— Décidément, vous ne pouvez pas vous empêcher de donner des ordres.

— Cela te déplaît ?

Dans le faible rayon de lumière qui parvenait du couloir, elle vit qu'il souriait. Elle s'allongea et l'observa, tandis qu'il se dévêtait à son tour, debout à côté du divan.

De larges épaules qui faisaient ressortir l'étroitesse de sa taille et de ses hanches, des jambes longues et musclées... Un corps magnifique qui aurait fait fantasmer n'importe quelle femme. Repensant à ce que Sam lui avait dit en début de soirée, elle ne put s'empêcher d'apprécier toute l'ironie de la situation.

Il lui ôta son pantalon gris, en se moquant tendrement de sa façon de s'habiller. Puis il revint s'allonger à côté d'elle.

Refermant les bras sur le corps de Rocco, elle l'embrassa, se pressant fiévreusement contre lui. Avec un gémissement, il s'éloigna un instant pour poser ses lèvres sur ses petits seins ronds. Un frisson la parcourut tandis qu'il en taquinait doucement la pointe de la langue. Puis il posa la main plus bas sur son ventre, exactement là où elle en avait envie, et elle abandonna ses dernières réticences pour se laisser aller au plaisir que tout son corps réclamait.

Pendant quelques secondes, elle ressentit une étrange impression : comme si elle renonçait à être la personne efficace et vouée à son travail que chacun connaissait. Elle était devenue une femme sensuelle et sans inhibitions, les yeux largement ouverts sur le visage de l'homme qui la comblait.

Puis elle cessa de penser, tandis que leurs désirs se rejoignaient dans un long frémissement de volupté.

7.

Rocco eut soudain l'impression que le canapé était trop petit. Même s'il l'avait trouvé parfait jusque-là, il avait maintenant envie de se prélasser dans un vaste lit avec Amy, pour la serrer contre lui et lui parler. Ce qui était pourtant contraire à toutes ses habitudes.

— Allons dans ta chambre, si tu veux bien, dit-il en l'embrassant.

Elle le contempla avec dans les yeux une expression de contentement et d'abandon qui le ravit.

— Elle est au premier étage et je ne me sens pas vraiment envie de bouger en cet instant...

— Dans ce cas, accepte que ton valeureux chevalier relève ce défi et te transporte en haut de la tour.

Avant qu'elle ait pu émettre la moindre protestation, il l'avait soulevée et l'emportait vers l'escalier, encore tout engourdie de plaisir.

— La deuxième porte à droite... J'espère que ton dos ne fera pas les frais de cette attitude chevaleresque, déclara-t-elle en souriant lorsqu'il l'eut déposée sur le lit.

— J'ai déjà soulevé des poids plus lourds que le tien, rétorqua-t-il avec amusement, avant de s'allonger et de la prendre dans ses bras.

— Tes petites amies ne seraient certainement pas ravies de t'entendre.

Amy se serra contre lui.

Bien sûr, la vie amoureuse de Rocco l'intriguait, même si elle avait cru deviner, à travers les articles de presse qu'elle avait lus, qu'elle était aussi prévisible que superficielle. Mais maintenant, elle était vraiment curieuse de découvrir pourquoi un homme doté de tant de qualités n'avait pas trouvé la compagne idéale.

— Tu as sans doute raison, mais ce n'est pas à elles que je faisais allusion. Tu es la première femme que je transporte de cette façon, dit-il.

Il lui caressa la joue. Le corps d'Amy, compact et délicat, recélait des trésors de douceur. Comment avait-il pu croire que seules les femmes grandes lui plaisaient ?

— Dans ce cas, à quoi faisais-tu allusion ?

— Pendant les vacances d'été, je travaillais pour une entreprise de bâtiments. Je transportais du matériel lourd. Si j'avais eu le dos fragile, je m'en serais aperçu à l'époque.

Il regarda autour de lui.

— J'aime bien ta maison. Ça fait longtemps que tu y vis ?

Amy était troublée de constater que cet homme, détendu et prévenant, qui venait de lui faire l'amour avec tant de délicatesse et de l'emmener aux sommets du plaisir, n'avait plus rien de commun avec l'être cynique qu'elle avait dû affronter quelques heures plus tôt. Une vague de bonheur la submergea, mêlée toutefois d'une pointe de culpabilité. Sam était à peine sorti de sa vie qu'elle se comportait comme s'il n'avait jamais existé. Qu'est-ce que Rocco allait penser d'elle ?

— Presque quatre ans, répondit-elle, brusquement

traversée par une onde de désir car il venait de lui effleurer le dos. Je cherchais un petit appartement très fonctionnel, mais dès que j'ai franchi le seuil de cette maison, j'en suis tombée amoureuse.

— Et tu n'as pas eu peur de te lancer dans des travaux de rénovation ? C'est toi qui as eu l'idée de la grille de fer forgé ?

— Oui.

— C'est astucieux, dit-il en se plaquant contre elle, incapable de résister devant ses rondeurs fermes et douces.

— Oui... On m'a déjà dit que...

Elle se tut, en proie au vertige des sensations qu'elle découvrait.

— Pourquoi t'arrêtes-tu ? J'aimerais poursuivre cette conversation.

— De... de quoi parlions-nous ?

— De la manière ingénieuse dont tu as rénové ce lieu.

Mais il lui était à lui aussi bien difficile de feindre le détachement.

Cette fois, ils firent l'amour langoureusement et sans hâte. Le vaste lit autorisait toutes les fantaisies, et Rocco put explorer le corps d'Amy, lentement, comme il en avait envie. Sa poitrine qui frémissait. Ses hanches voluptueuses. Son ventre doux et rond.

Lorsque Amy sentit sa bouche se poser au creux de ses cuisses, elle fut parcourue par un interminable frisson de volupté. Elle gémit, incapable de résister plus longtemps à la tentation. Tandis qu'il continuait à la caresser, elle l'attira en elle et se mit à bouger en rythme, toujours plus vite et plus fort, jusqu'à ce qu'ils parviennent ensemble aux sommets du plaisir.

Ils étaient allongés dans les bras l'un de l'autre, lorsque l'image de Sam surgit soudain dans l'esprit de Rocco, provoquant en lui une bouffée de jalousie.

— J'ai une question à te poser, dit-il.

— Je me méfie de tes questions, dit-elle en riant.

— Tu as couché avec lui ?

Amy tenta de se détacher de lui, mais il maintint solidement son étreinte.

— Alors ?

Amy serra les lèvres. Parler de Sam était bien la dernière chose dont elle avait envie à cette heure. Mais elle perçut l'impatience de Rocco.

— Non, avoua-t-elle.

Rocco soupira. Le soulagement qu'il ressentit le surprit lui-même.

— Tu veux dire que tu es sortie pendant des mois avec cet homme sans jamais faire l'amour avec lui ?

— Cela n'a rien d'extraordinaire.

— Pour moi, si. Et tu envisageais sérieusement de l'épouser ? Mais alors, pourquoi as-tu accepté avec moi ?

— Sommes-nous forcés d'aborder le sujet maintenant ?

— Il faut que tu prennes conscience que lui et toi, vous n'avez pas grand-chose en commun.

Tout en le reconnaissant intérieurement, Amy comprit enfin que Rocco croyait qu'elle avait couché avec lui en étant fiancée à Sam.

— Je crois que tu ferais mieux de partir, dit-elle.

— Parce que tu n'aimes pas la tournure que prend cette conversation ? Je crois pourtant t'avoir convaincue que tu ne peux te considérer liée à cet homme alors que toutes tes réactions prouvent le contraire.

Tout en admettant qu'il avait touché juste, Amy se sentit parcourue par une onde de colère et d'humiliation. Ainsi, il ne lui avait fait l'amour que pour lui démontrer qu'elle s'était trompée. Mais pourquoi ? Peut-être parce qu'il s'ennuyait loin de chez lui. Ou pour ne pas rester sur l'échec relatif du baiser qu'ils avaient échangé : il n'était sûrement pas du genre à abandonner un projet en chemin. Quelle importance, d'ailleurs, du moment que leur relation restait purement physique ?

— Si tu n'as pas couché avec lui, reprit-il, tu ne peux pas savoir s'il te plaît. Même si une relation réussie ne se résume pas au sexe, il reste quand même essentiel.

— Excuse-moi, dit-elle en se levant et en se dirigeant vers la salle de bains.

Un instant, Rocco fut tenté de la retenir, sentant que quelque chose n'allait pas. Certes, il avait voulu la convaincre que les sentiments qu'elle croyait éprouver pour Sam n'étaient que pure illusion. Mais cela n'avait abouti qu'à l'éloigner de lui, alors qu'il espérait tout le contraire.

Cinq minutes plus tard, elle était de retour dans la chambre, vêtue d'un jogging et d'un T-shirt, le visage fermé.

— Alors, d'après toi, si un homme et une femme n'ont pas fait l'amour avant de se marier, leur union est vouée à l'échec ? demanda-t-elle en s'asseyant sur le tabouret placé devant sa coiffeuse avant de le fixer froidement.

— Reviens te coucher !

— Pour toi, une relation se résume à un quart d'heure passé au lit. Ni la gentillesse ni la sécurité n'entrent en ligne de compte.

— Effectivement. Sans passion, elles ne comptent pas.

— Et sur quelle expérience te fondes-tu pour en juger ? rétorqua-t-elle avec un petit rire amer. Tu as déjà été marié ? As-tu même déjà connu une relation stable ? Peux-tu m'expliquer le rôle de la passion, dans tout ça ?

Rejetant les couvertures, Rocco se leva, furieux, et sortit de la pièce.

Un instant, Amy crut qu'il allait partir et se sentit meurtrie à cette perspective. Puis elle se rappela que dans leur hâte à gagner le lit, ils avaient laissé leurs vêtements au rez-de-chaussée. Elle descendit précipitamment pour s'expliquer avec lui.

Torse nu, il était en train d'enfiler son pantalon. A sa vue, elle se sentit si troublée qu'elle dut détourner les yeux.

— Ainsi, pour toi, même si nous avons couché ensemble, ce n'est pas suffisant pour te faire réfléchir à ce que tu vas faire, lança-t-il. La sécurité avant tout, telle est ta devise !

— Qu'est-ce qui te fait penser cela ?

— J'ai parfaitement compris ce que tu allais lui dire à la pizzeria.

— Et qu'as-tu entendu, exactement ?

— Quand je vous ai surpris, dans cette gargote... Tu étais bien sur le point... sur le point d'accepter de l'épouser, non ?

— Tu as eu tort de sauter si vite à la conclusion car au contraire, j'étais sur le point de lui annoncer qu'il n'en était pas question. Mais tout le monde peut se tromper, remarqua-t-elle non sans ironie. Tu vois, je n'avais nul besoin que tu me démontres quelle erreur j'étais en train de commettre.

Très lentement, Rocco enfila sa chemise et entreprit de la boutonner.

— Je ne comprends pas, dit-il.

— Mais si. Tu m'as fait l'amour pour me prouver que Sam n'était pas l'homme qu'il me fallait.

— Je t'ai fait l'amour ? Comme si tu n'avais été qu'une spectatrice passive ! s'exclama-t-il en faisant deux pas vers elle.

Amy serra les poings. Au lieu de protester et de lui dire qu'il n'avait pas pu résister au désir qu'elle lui inspirait, il chicanait sur des détails…

— Oui ? insista-t-il.

Les cheveux ébouriffés de Rocco contrastaient avec l'expression sérieuse de son visage. Lorsqu'il lui sourit, elle se sentit prise de panique à la pensée qu'il n'avait qu'un geste à faire pour qu'elle succombe de nouveau. Et en quelques secondes, elle comprit qu'elle brûlait de se donner corps et âme à cet homme pour qui les femmes n'avaient jamais compté. Elle devait faire quelque chose. Quitte à mentir.

Il était si près d'elle, maintenant, qu'il n'eut qu'à tendre les bras pour l'y emprisonner.

— On pourrait en discuter pendant des heures, Amy, mais à quoi bon tourner autour du pot ? Soyons au moins sincères l'un envers l'autre. Nous avons fait l'amour et nous avons aimé ça. Nos corps ont aimé ça…

— Et après ? dit-elle avec fierté.

— Pourquoi cesser de faire ce qui nous plaît à tous les deux ?

— C'est donc de cette façon que tu t'y prends, Rocco ? Tu vois une femme, tu la mets dans ton lit et tu lui fais l'amour aussi longtemps que tu en as envie.

— Je ne mets pas de femme dans mon lit. Crois-moi ou non, il s'agit toujours d'une décision mutuelle.

Il la fixa longuement sans plus sourire. Il fallait absolument qu'elle mette ce répit à profit pour reprendre le contrôle d'elle-même.

— Je viens de rompre avec un homme qui m'avait demandé de l'épouser, déclara Amy, le regard rivé sur le premier bouton de la chemise de Rocco pour éviter de regarder son visage. Pour toi, rompre ne doit pas représenter grand-chose. Mais ce n'est pas mon cas, et Sam ne m'a pas vraiment facilité les choses.

Elle se risqua à lever les yeux, mais ne rencontra qu'un regard impénétrable. Si c'était une stratégie destinée à lui faire perdre contenance, c'était très réussi.

— Ma soirée n'avait pas été particulièrement réussie, poursuivit-elle. Alors, quand tu es arrivé, disons que je me suis comportée avec toi comme n'importe quelle fille l'aurait fait dans les mêmes circonstances...

— Tu considères ton comportement, comme tu dis, comme le contrecoup de ta rupture ?

Il la regardait d'un air stupéfait.

— Toi aussi, Rocco, tu as sûrement dû chercher un jour à te changer les idées de cette façon.

— Pas autant que je me souvienne, dit-il en reculant pour mieux l'observer, avec un évident mépris.

Elle faillit lui rappeler que, compte tenu des motifs qui l'avaient poussé à venir jusque chez elle, son arrogance était pour le moins injustifiée. Mais elle préféra se taire.

— C'est bon, dit-il en quittant le salon pour se diriger vers la porte d'entrée.

Elle le suivit, tout en prenant soin de garder ses distances.

— Maintenant que ce petit malentendu est dissipé, je t'attends à mon bureau demain après-midi avec ton équipe. Si tu ne t'y présentes pas, tu serais licenciée sur le champ.

Voilà donc sa vraie nature, se dit Amy une fois qu'il eut claqué la porte. Si elle n'obéissait pas, elle en supporterait les conséquences. Car elle ne doutait pas qu'il mette ses menaces à exécution. Même la perspective d'un éventuel procès pour licenciement abusif ne l'en dissuaderait pas...

Elle retourna se coucher. Mais une fois dans son lit, dans ce lit qu'elle avait partagé avec Rocco et qui était encore imprégné de son odeur, la rage la submergea et elle n'y tint plus. Après l'avoir défait et avoir mis les draps dans la salle de bains pour les laver dès le lendemain, elle se dirigea vers la chambre d'amis.

Mais sa colère était tombée. Il ne lui restait plus que le souvenir de leurs deux corps unis dans un même désir. Jamais encore elle ne s'était donnée si complètement, et il fallait que ce soit à un homme qui lui avait été d'emblée antipathique. Même si elle savait maintenant ce que dissimulait tant d'apparente froideur. Car, à peine l'avait-il touchée, qu'il était devenu complètement différent de l'homme d'affaires insensible et calculateur contre lequel elle s'était battue.

Pourquoi ne pas l'avoir détrompé ? songea-t-elle tandis que le sommeil la gagnait. Pourquoi l'avait-elle laissé partir en croyant qu'il n'avait été pour elle qu'une occasion de se changer les idées ?

Quand Amy se réveilla, sept heures plus tard, elle se sentait aussi fatiguée que si elle n'avait pas dormi.

Et elle était terriblement en retard.

Elle passa la matinée à courir après le temps perdu, les yeux rivés sur sa montre. A l'heure du déjeuner, elle appela Marcy pour lui dire de se présenter sans elle dans le bureau de Rocco Losi.

— Je doute que ce soit une bonne idée, déclara sa collaboratrice. Il n'appréciera pas que tu lui fasses de nouveau faux bond. Et nous non plus je dois te le dire. Par ailleurs nous avons tous hâte de savoir comment s'est terminé ton dîner avec Sam…

— Bon, je serai là-bas dans une demi-heure. Je mangerai un sandwich dans ma voiture.

Mais retardée par des travaux aux abords de Stratford, ce n'est que quarante minutes plus tard qu'elle poussa la porte du bureau directorial, ayant à peine pris le temps de frapper.

— Désolée. Des embouteillages.

Les cinq membres de son équipe étaient assis en rang d'oignons d'un côté de la table qui aurait pu accueillir vingt personnes. A l'autre bout était installé Rocco.

— Qui veut bien mettre Mlle Hogan au courant de ce qui s'est dit avant son arrivée ?

Amy prit place à côté de Dee.

Il y eut un silence embarrassant que Rocco finit par rompre d'une voix froide et parfaitement contrôlée.

Le matin même, il avait réuni les responsables de Losi Construction pour leur transmettre les directives qu'ils auraient à répercuter auprès de leurs collaborateurs dès le lendemain. Son père avait décidé de renoncer à diriger l'entreprise dont il conserverait néanmoins le capital. Il s'était ainsi rangé à l'avis de ses conseillers et de sa famille qui le pressait de rester en Italie, dont le climat convenait mieux à sa santé.

Rocco ajouta que dans les instructions que son père avait transmises par mail, il n'était pas fait mention de la filiale dirigée par Amy.

Bien que sous le choc, celle-ci comprenait pourquoi : il avait laissé à son fils le soin de prendre la décision et de la lui annoncer.

— Je n'ai guère le choix, poursuivit Rocco. Soit je vendais l'entreprise de mon père à l'extérieur, soit je proposais à deux membres actuels de l'état-major d'en prendre le contrôle, ce que mon père n'aurait pas refusé. Ou bien encore je décidais d'en assurer moi-même la direction. Qu'en pensez-vous, mademoiselle Hogan ?

— Répondre à cette question n'entre pas dans mes attributions, monsieur Losi. D'autant plus que votre décision est sans doute déjà prise.

— Vous avez raison, acquiesça-t-il en se raidissant. J'ai décidé de racheter les parts de mon père pour m'occuper moi-même de Losi Construction.

— Et votre affaire à New York ?

— Je compte la vendre au plus offrant. Depuis cinq ans, je ne cesse d'être sollicité par des acheteurs potentiels. Mais si l'équipe dirigeante est tentée par le rachat, je lui accorderai la préférence. Grâce au profit que j'en tirerai, je serai à même d'engager Losi Construction sur la voie du vingt et unième siècle, ce qui suppose, bien entendu, la création d'une filiale à Londres. Nous en étions justement là lorsque vous êtes arrivée.

Rocco recula sa chaise pour pouvoir croiser les jambes, une cheville reposant sur le genou opposé. Comme il ne soufflait mot, Amy se décida à rompre le silence, le cœur battant.

— Dans ce cas, que va-t-il advenir de... nous ? demanda-t-elle en scrutant les visages crispés de ses collaborateurs.

Quelques jours plus tôt, songea-t-elle amèrement, une camaraderie insouciante régnait encore au sein de l'équipe, avant que n'apparaissent Rocco et toutes les menaces dont il était porteur. Et la veille, tandis qu'elle faisait l'amour avec lui, elle avait oublié le combat à mener. Cela faisait-il partie de la stratégie de cet homme ? Distraire une femme dont il voulait se débarrasser en espérant trouver ainsi une solution à son problème ? Elle n'y croyait pas vraiment, mais elle se rendait compte à quel point Rocco demeurait mystérieux pour elle.

— Ce qui va advenir de vous ?

Il les fixa l'un après l'autre tout en rappelant rapidement les points forts de chacun, sans commettre la moindre erreur. Il avait dû étudier leur C.V avec la plus grande attention.

— Voici donc ce que je vous suggère, conclut-il. Mais vous aurez tout le temps d'y réfléchir...

Comment pouvait-il prétendre avoir trouvé une solution qui satisfasse une équipe soudée depuis tant d'années ? songea Amy, tandis que Rocco poursuivait sa présentation.

— A ceux qui accepteront de déménager à Londres, je propose de mettre en place une nouvelle filiale. Une part des bénéfices sera redistribuée. Marcy, qui a toujours tenu le rôle d'administrateur, pourrait, par exemple, superviser la répartition des sommes entre diverses organisations caritatives. De plus, la filiale pourrait être impliquée dans un certain nombre de programmes sociaux dont la gestion serait déléguée à une équipe spécialement recrutée. Quant à ceux qui préféreraient rester sur place, ils devront déménager ici même, à Stratford. Leurs frais seront remboursés, et ils bénéficieront, eux aussi, d'une augmentation.

Un plan habile, pensa Amy, surtout que la plupart des

membres de l'équipe étaient célibataires, et donc prêts à déménager à Londres.

Quand Rocco eut terminé, il se rassit et croisa les mains sur la table.

— Vous pouvez maintenant discuter de ces propositions entre vous, déclara-t-il. Nous nous reverrons dans une semaine. Je demanderai à mon assistante de fixer une date avec vous.

Tout le monde se dirigea vers la porte. Amy fermait la marche. Elle allait franchir le seuil lorsque Rocco la rappela.

— J'ai encore quelque chose à vous dire. Pourriez-vous refermer la porte ?

Amy s'exécuta, mais resta au fond de la salle au lieu de s'approcher de lui.

— Tu as gagné, reconnut-elle.

— A la loyale.

— Peut-être, mais ce n'est pas ce qu'envisageait ton père il y a quelques jours encore...

— Tous les membres de ton équipe vont accepter. Une offre aussi généreuse ne se refuse pas.

— Tu as gagné, je te l'ai déjà dit.

— Ce n'est pas le problème, lança-t-il avec impatience. Eux, au moins, ils ont tout de suite compris que j'avais raison car ils ne sont pas aveuglés par leurs émotions.

— Moi non plus.

— Toi, tu n'as pas trouvé ici un simple travail, mais la planche de salut, la raison de vivre qui t'étais indispensable il y a encore quelques années. Pourtant, tu devrais aller de l'avant, Amy, et regarder la réalité en face. Sors de ta coquille : ce genre de réconfort, tu n'en as plus besoin aujourd'hui.

8.

Rocco lisait la lettre posée sur son bureau. Pas exactement une lettre, d'ailleurs, mais pas non plus une simple
note. Amy Hogan y déclarait avoir été très heureuse de
travailler pendant plusieurs années chez Losi Construction.
Toutefois, elle avait décidé de démissionner pour poursuivre sa carrière ailleurs. Elle remerciait tous ceux qui,
dans l'entreprise, avaient facilité ses activités.

Il souleva le téléphone et le tint un instant en l'air, avant
de le reposer sur son socle en fronçant les sourcils.

Cela faisait maintenant dix jours qu'il lui avait parlé,
ainsi qu'à son équipe, et elle était la seule à ne pas avoir
accepté son offre qui constituait pourtant une évidente
promotion.

Durant leurs rares entretiens dont il avait toujours pris
l'initiative, elle était restée assise en face de lui, le visage
figé, répétant tranquillement qu'elle n'était pas à même de
faire des projets à long terme. Ce qui ne l'avait d'ailleurs
pas empêchée de traiter des dossiers avec lui, ni de lui
transmettre des listes de personnes avec lesquelles elle
avait bâti des relations intéressantes.

Mais quand il avait tenté d'orienter la conversation sur
d'autres sujets, elle l'avait regardé avec une telle froideur
qu'il n'avait pas cherché à aller plus loin.

Tout compte fait, cette semaine avait été plutôt frustrante : en dépit de tous les soucis que lui occasionnaient son travail, il devait bien reconnaître qu'Amy Hogan l'obsédait.

Et maintenant, cette lettre...

Il aurait bien voulu pouvoir la jeter le cœur léger dans la corbeille. Mais non, cela ne résoudrait rien.

En tout cas, il ne pourrait pas recevoir Amy le surlendemain, car il devait se rendre à New York pour négocier la vente de son entreprise.

Il se leva et se mit à arpenter son bureau, s'arrêtant de temps en temps pour contempler sans les voir les bibelots qui ornaient l'étagère. Il souleva un petit cheval de bois que montait un cavalier en armure, un livre à la main, et le fit tourner délicatement entre ses doigts, retrouvant la même impression que quand il avait ouvert l'album. Un sentiment qu'il avait soigneusement enfoui des années auparavant, en quittant l'Angleterre, refaisait surface.

Puis, se remémorant la blessure d'amour-propre que Amy lui avait infligée, il se sentit de nouveau envahi par une bouffée de rage. Lui qui avait toujours su tout contrôler, les situations et les événements aussi bien que les êtres humains, il se sentait ébranlé au plus profond de lui-même. Comment avait-elle réussi à le manipuler ?

Il venait de reposer la statuette d'un air pensif lorsque son téléphone se mit à sonner.

Le lendemain à 18 h 30, alors qu'il devait prendre l'avion pour New York et malgré toutes les réticences que lui soufflait sa raison, Rocco monta dans sa voiture, bien décidé à se rendre chez Amy.

Comme elle le lui proposait elle-même dans sa lettre

de démission, il aurait très bien pu la dispenser du préavis et confier à quelqu'un d'autre le projet sur lequel elle travaillait. Pourtant, face aux sentiments contradictoires qu'il éprouvait depuis quelque temps, il lui semblait ne plus pouvoir agir selon la froide logique qui l'avait conduit en dix ans à une réussite sans faille.

Il était bien forcé de reconnaître qu'Amy s'était servie de lui, et à cette pensée, des bouffées de rage le submergeaient.

Quand il parvint chez elle, vers 19 h 30, il s'attendait presque à trouver la maison vide, même s'il savait qu'on fait rarement des heures supplémentaires quand on vient de démissionner.

Malgré tout, elle devait être là puisque sa voiture était garée à l'extérieur. Après avoir sonné en vain à plusieurs reprises, il dut se rendre à l'évidence : elle avait sans doute repéré sa présence et décidé de l'ignorer. Furieux d'avoir à essuyer, pour la première fois depuis longtemps, une telle rebuffade, il se mit à taper à la porte.

Soudain, la porte s'ouvrit et elle parut sur le seuil, le toisant d'un regard agacé.

— Que fais-tu ici ?

— Ma présence n'a pas l'air de te ravir.

— Certainement pas, mais tu n'as pas répondu à ma question. Que fais-tu ici ?

Amy faisait tout pour rester calme. Dès qu'elle avait aperçu Rocco devant chez elle, son cœur s'était mis à battre la chamade.

— J'ai quelque chose à voir avec toi, dit-il en brandissant sa lettre de démission.

Profitant de la surprise d'Amy, il l'écarta pour pénétrer dans l'entrée.

— Pas aujourd'hui, Rocco, protesta-t-elle. Je ne me sens pas très bien.

— Dans ce cas, assieds-toi et détends-toi. Je vais te faire la conversation.

Qu'elle se détende ? Alors qu'il se trouvait sous son toit ? C'était tout bonnement impossible.

— Qu'est-ce qui ne va pas ? demanda-t-il en l'observant, sans tenir compte de ses protestations. Tu as de la fièvre ?

Il posa une main fraîche sur le front d'Amy.

— J'ai un rhume, voilà tout. Désolée, mais je ne suis vraiment pas en état de discuter.

— Bien sûr. Et tu ferais mieux de monter dans ta chambre et de te coucher.

— Je suis très bien ici.

— Mais non, dit-il en la soulevant comme si elle ne pesait pas plus qu'une plume.

Décidément cela devenait une habitude, songea-t-elle, trop faible pour protester.

— Ecoute, dit-elle quand elle se retrouva sur son lit. Si je t'ai adressé ma démission, c'est parce que je ne veux plus travailler pour Losi Construction si tu en es le patron. Tu crois sans doute que je l'ai fait parce que je n'avais pas réussi à te convaincre de conserver la filiale et de me laisser continuer mon travail. Tout le monde t'a trouvé très généreux et je suis très contente pour mon équipe, mais ton offre ne me convient pas.

— Tu as consulté un médecin ?

— Pardon ?

— Un médecin.

— Bien sûr que non. Pas pour un rhume.

Elle toussota nerveusement.

— Rocco, tout ce que j'avais à te dire est dans ma lettre

de démission. Je ne reviendrai pas sur ma décision et dès que j'irai mieux, je retournerai travailler pour accomplir mon mois de préavis si tu le juges nécessaire.

— Tu peux attendre une minute ? Je voudrais passer un coup de fil.

A la stupéfaction d'Amy, il sortit son portable et quitta la pièce en refermant soigneusement la porte derrière lui.

Il n'était guère surprenant qu'il vienne la harceler jusque chez elle pour l'interroger sur sa décision de quitter Losi Construction. Il s'était montré vraiment généreux en offrant à son équipe des contreparties non négligeables, et il avait peut-être espéré qu'elle réagirait, elle aussi, avec la même reconnaissance empressée. Durant ces derniers jours, elle avait senti qu'il lui en voulait de ne pas avoir accepté sa proposition. Sans doute cela avait-il suffi à le faire venir ici, pour lui poser quelques questions et s'assurer qu'elle avait bien compris les enjeux de son refus.

Elle se sentait trop fatiguée pour discuter, mais elle n'avait pas l'intention de le laisser s'éterniser dans son rôle de patron parfait capable d'apporter à tout problème la solution parfaite. Inutile de lui offrir le plaisir d'avoir raison une fois de plus en acceptant la discussion ou en reconnaissant qu'elle avait tort de ne pas accepter son offre. Qu'il aille au diable !

Elle ne pouvait s'empêcher d'avoir des frissons d'horreur en se souvenant de la façon dont elle s'était précipitée dans ses bras pour découvrir ensuite qu'il ne cherchait qu'à lui démontrer qu'il avait raison. En fait, elle avait passé toute la semaine à essayer de justifier son comportement à ses propres yeux, et à se convaincre qu'elle avait été victime des circonstances. En prétendant qu'elle avait agi sous le choc de sa rupture avec Sam, elle espérait qu'ils auraient été quittes, mais comment pouvait-elle se dissimuler la force du désir qu'il avait éveillé en elle ?

Si elle n'avait pas dû le revoir, sans doute aurait-elle pu continuer à se tromper elle-même. Mais faire l'amour avec Rocco n'avait rien eu d'anodin pour elle. Jamais encore elle n'avait été la proie d'un désir aussi impérieux, aussi brûlant, aussi insensé. Un désir auquel elle n'aurait jamais eu la force de résister, même si elle l'avait voulu.

Si seulement le coup de téléphone qu'il était en train de passer pouvait provoquer son départ immédiat ! soupira-t-elle.

Hélas, dès que Rocco fut de retour dans la chambre, il vint s'asseoir sur le lit, tout près d'elle.

— J'ai appelé mon médecin. D'après les symptômes que je lui ai décrits, il semble que tu aies raison et qu'il s'agisse d'un virus.

— Tu as appelé ton médecin pour moi ? s'étonna-t-elle.

— C'est un ami. Je lui aurais bien demandé de passer te voir, mais le voyage depuis New York est vraiment trop long.

— Je n'ai aucun besoin de...

— Je te rappelle que tu travailles encore pour moi, coupa-t-il.

— C'est vrai. Mais plus pour très longtemps, dit-elle en fermant les yeux pour éviter de le regarder car il lui était déjà très difficile de sentir son corps si près du sien.

— Je ne changerai pas d'avis, reprit-elle. Concernant ma démission, je veux dire. J'ai des tas de projets.

— Je ne te laisserai pas me les exposer avant que tu aies mangé quelque chose.

— Tu n'es sûrement pas venu ici pour jouer les nounous, déclara-t-elle en ouvrant à demi les yeux. En fait, je me sentirais beaucoup mieux si tu acceptais de partir et si, en plus d'être malade, je n'avais pas à te faire la conversation.

— Je vais descendre nous chercher quelque chose à manger, proposa-t-il.

Rocco se leva. Il avait soudain oublié qu'il était venu pour convaincre Amy de retirer sa démission et, accessoirement, de comprendre pourquoi elle s'était si facilement laissé séduire par lui.

En venant jusque chez elle, il avait voulu s'assurer que les réactions d'Amy, tendres et spontanées, n'étaient pas un pur produit de son imagination. Lui qui avait toujours considéré comme acquis son succès auprès de n'importe quelle femme, supportait mal que celle-ci se soit servie de lui pour se distraire de sa rupture avec un autre homme.

Mais dès qu'il l'avait vue malade, il avait tout oublié.

— Je t'en prie, murmura Amy, tu n'as pas besoin de jouer les patrons modèles sous prétexte que je suis enrhumée. J'ai déjà pris un médicament qui devrait faire rapidement de l'effet. D'ailleurs, je me sens déjà un peu mieux.

— Quand as-tu pris ces cachets ?

— Je ne me rappelle pas exactement. Il y a peut-être une demi-heure.

— Mais cela fait plus d'une demi-heure que je suis arrivé.

— Alors, il y a une heure, je ne sais pas ! Je ne passe pas ma vie les yeux rivés sur ma montre ! s'exclamat-elle en se dressant à demi, avant de retomber épuisée sur son oreiller.

Il sortit et revint deux minutes plus tard avec une serviette humide qu'il lui posa sur le front.

— Cela devrait aider la fièvre à baisser, expliqua-t-il.

— Tu as déjà soigné quelqu'un ? demanda-t-elle avec une petite moue ironique.

Sans lui répondre, Rocco descendit dans la cuisine. Il se sentait étrangement préoccupé par la santé de la jeune femme. Pourtant, jamais auparavant il n'avait eu envie de jouer les infirmiers dans de semblables circonstances. Et les rares fois où lui-même était tombé malade, il avait toujours annulé ses rendez-vous galants, en dépit de toutes les offres de soins à domicile que ses amies ne manquaient pas de faire...

Un quart d'heure plus tard, il avait préparé un plateau et il remontait dans la chambre.

— Je dois t'avouer que les omelettes sont à peu près le seul plat que je suis capable de cuisiner, dit-il en entrant.

— Merci. Ce sera parfait.

En le voyant retenir, Amy se sentit soudain heureuse qu'il s'occupe d'elle.

— Cela peut arriver à tout le monde d'avoir besoin d'un coup de main, constata Rocco.

— Moi qui ne suis jamais malade...

— Jamais ?

— La varicelle quand j'avais huit ans. Cela m'a permis d'échapper à deux semaines d'école. Ton omelette est absolument délicieuse, ajouta-t-elle en lui jetant un regard furtif.

Assis près de la fenêtre, son assiette à la main, il semblait emplir toute la pièce de sa présence.

Il fallait vraiment qu'il quitte au plus vite sa maison... Mais comment s'y prendre, maintenant qu'elle l'avait une fois de plus laissé s'introduire chez elle ? Le traiter avec

une cordialité un peu distante, comme une simple relation ?
Comme s'ils n'avaient pas couché ensemble ? Pourtant,
le seul souvenir de leur nuit suffisait à lui faire perdre
tous ses moyens...

Amy se mit donc à lui parler de son enfance, en évitant
avec soin tous les sujets qui auraient pu prêter à malentendu, ses petits amis par exemple, qui risquaient de faire
resurgir le fantôme de Sam.

Sam qui lui manquait si peu, justement... Elle était
étonnée d'avoir entretenu une relation avec un homme
et d'avoir pratiquement cessé de penser à lui après avoir
rompu.

— Je me sens vraiment déjà beaucoup mieux, dit-elle à
Rocco après avoir mis son plateau de côté sur le bord du
lit. Tout à l'heure, je t'ai dit que j'avais des projets.

— Des projets ? dit-il.

Rocco se sentait dépité par le ton de politesse distante
qu'elle avait adopté.

Il prit le plateau pour le poser par terre et s'assit sur le
lit. Il effleura de la main le front de la jeune femme.

— Tu as moins de fièvre. Tu disais donc ?

— Je... Je regrette de ne pouvoir accepter ton offre
et je comprends que le reste de l'équipe ait sauté sur
l'occasion. Mais je crois qu'il est temps que je change
d'orientation.

Sa robe de chambre avait légèrement glissé, dénudant
un espace de peau pâle qui attira le regard de Rocco. Il
se pencha un peu au-dessus d'elle.

— Voilà, reprit-elle, je pensais reprendre mes
études.

Elle leva vers lui un visage éclairé par un enthousiasme
que Rocco lui avait déjà vu en d'autres circonstances :

quand elle lui avait expliqué la nature exacte de son travail et l'espoir qu'elle apportait aux plus démunis.

— Pardon ?

Amy sourit timidement. Il était le premier à qui elle osait parler de son projet et, subitement, son avis lui paraissait de la plus grande importance.

— Cette idée te semble ridicule ?

— Absolument pas, protesta-t-il en souriant. Cela te prendrait combien de temps ?

— Avant d'entrer à l'université, je vais devoir me remettre à niveau, puisque j'ai commencé à travailler juste après mon bac. Ensuite, il faut voir... Peut-être quatre ans.

— Et matériellement, comment vivras-tu ?

— Je n'y ai pas encore vraiment pensé.

Rocco se leva pour ramasser le plateau posé par terre.

— Je vais descendre tout ça. Désires-tu autre chose ? Un peu plus de thé ?

Ce qu'elle aurait voulu, songea Amy, c'est qu'il écoute vraiment ce qu'elle avait commencé à lui dire. Mais pourquoi lui ? Elle ne devait pas oublier qu'il était venu discuter de sa démission, et la convaincre que si elle persistait à refuser ce qu'il lui offrait, elle ne tarderait pas à s'en mordre les doigts.

— Sincèrement, que penses-tu de mon idée ? demanda-t-elle pourtant.

— Excuse-moi. Je serai de retour dans deux minutes.

— Je me sens bien, répondit-elle, agacée. Mes rhumes ne durent jamais très longtemps et maintenant que j'ai mangé et pris ce médicament, je vais déjà beaucoup mieux. Si tu pouvais seulement déposer le plateau dans la cuisine et claquer la porte derrière toi en sortant.

Rocco acquiesça d'un signe de tête avant de quitter la chambre.

Après son départ, Amy se débarrassa en soupirant de sa robe de chambre et passa dans la salle de bains pour se rafraîchir et se brosser les dents. Pourquoi se comportait-il toujours de cette façon avec elle ? Il avait d'abord fait mine de s'intéresser à ce qu'elle disait avant de disparaître, indifférent au projet qu'elle lui avait exposé.

Elle s'apprêtait à se glisser dans son lit pour y passer la soirée avec un livre, lorsque Rocco surgit sur le seuil.

Celui-ci ne pouvait détacher ses yeux de la jeune femme. Vêtue du court pyjama que dissimulait tout à l'heure sa robe de chambre, elle aurait pu avoir l'air d'une gamine. Mais en découvrant le haut échancré qui moulait sa poitrine, il en eut brusquement le souffle coupé. En un instant, il oublia la lettre de démission et les atteintes portées à sa fierté masculine.

Après quelques longues secondes de silence contraint, tous deux se mirent à parler en même temps, Rocco pour expliquer qu'il avait fait la vaisselle et Amy pour lui demander pourquoi il était encore là.

— Je t'avais dit que j'avais envie d'en savoir plus long sur ton projet, répondit-il.

— Je ne t'en ai parlé que pour justifier mon refus, dit Amy qui se sentit presque nue sous son regard, sans toutefois oser plonger sous la couette.

Il s'assit sur la même chaise où il avait pris place vingt minutes plus tôt, laissant à Amy le choix entre son lit et un fauteuil placé près de la fenêtre, où elle aimait à se pelotonner pour lire. Elle s'y installa pour ne pas avoir à se glisser dans son lit sous le regard de Rocco.

— Alors comme ça, tu as envie de retourner à l'école,

lança-t-il, presque jaloux à l'idée qu'elle allait susciter le désir de nombreux étudiants.

— J'ai toujours regretté d'avoir dû abandonner mes études, répondit-elle en ramenant ses pieds sous elle. Et voilà que s'offre l'occasion de les reprendre.

— Vraiment ? Et tu ne te sens pas effrayée à l'idée d'abandonner le monde du travail et les possibilités qui t'étaient offertes ?

— N'oublie pas que je n'ai pas quitté l'école le cœur léger. J'ai été contrainte de le faire. Tout ce que je désire maintenant, c'est rattraper le temps perdu.

Ces propos éveillèrent un écho désagréable dans l'esprit de Rocco. En dépit de tous ses dons, il ne s'était jamais senti vraiment à l'aise dans le monde trop intellectuel de l'université. Pourtant, il avait toujours réussi à s'en sortir et à profiter de ce que la vie d'étudiant avait à lui offrir, y compris les filles. La voix d'Amy l'arracha soudain à ses pensées.

— Et toi, n'as-tu jamais désiré rattraper le temps perdu ?

— Si j'en crois ce regain de curiosité, tu dois effectivement te sentir mieux, dit-il, amusé.

— C'est une simple question, rétorqua-t-elle. Antonio dit qu'en Italie, toute la famille te réclame et que tu devrais bien profiter de sa présence là-bas pour faire une petite visite. Il est vieux et il vient de frôler la mort. Il a envie de resserrer les liens, c'est normal.

— Il me semble que nous n'étions pas en train de parler de moi.

— Quelle importance ? Pourquoi n'irais-tu pas le voir en Italie, Rocco ?

— Douée comme tu l'es pour te mêler de ce qui ne te regarde pas, tu ferais sans doute une excellente épouse !

déclara-t-il, surpris de voir avec quelle facilité elle réussissait à retourner contre lui ses propres arguments.

— Tu serais donc prêt à accepter ? demanda-t-elle, trop heureuse de le voir sourire pour ne pas ressentir dans le même temps une certaine appréhension.

— Je vais y réfléchir.

— Ce n'est pas vraiment une réponse.

Il se leva et se mit à arpenter la chambre sans cesser de la jauger du regard.

— J'irai. Tu es contente ? lança-t-il en s'arrêtant devant le siège où elle était blottie avant de se pencher vers elle, les mains en appui sur les bras du fauteuil. Pourrions-nous maintenant revenir au sujet que nous évoquions précédemment ?

— J'ai déjà réfléchi à toutes les difficultés qu'il peut y avoir à entreprendre des études à mon âge, répondit-elle. Ce ne sera pas pire que quand j'ai commencé à travailler pour Losi Construction.

Amy serra les bras sur sa poitrine. En le sentant penché sur elle, elle regrettait amèrement de ne pas avoir gardé sa robe de chambre.

— Et l'aspect financier ? Comment réussiras-tu à survivre pendant quatre ans, même si tu obtiens une bourse ?

— Si tu restes trop près de moi, je vais finir par te passer mon rhume.

— Alors, comment vas-tu t'y prendre ? insista Rocco sans tenir compte de sa remarque.

— J'ai mis un peu d'argent de côté. Et puis, j'aurai mes indemnités de licenciement.

Il s'écarta pour s'approcher de la fenêtre, tout en continuant à la fixer avec une intensité qui la faisait frissonner.

— Quatre ans, c'est long...

— Je suis très économe. Et d'ailleurs, tout cela ne te regarde pas.

— Théoriquement non. Pourtant, selon moi, on doit toujours écouter les conseils d'une personne avec qui on a fait l'amour, déclara-t-il avec ironie.

— Je préférerais ne plus aborder ce sujet, lança Amy, furieuse de se sentir rougir.

— Très bien, acquiesça Rocco en se dirigeant vers la porte. Mais si tu te décides vraiment à aller à la fac, dis-toi bien que quatre-vingt-dix neuf pour cent des étudiants que tu y croiseras sont des obsédés sexuels qui ne savent même pas ce que c'est que l'amour.

« Pour qui me prend-il ? songea Amy, écœurée. Une godiche qu'il faut protéger d'elle-même avant qu'elle ne commette l'irréparable ? Une provinciale innocente qu'il a sauvée d'une union désastreuse en lui faisant l'amour ? »

— Si je te comprends bien, murmura-t-elle avec un sourire suave, cela fait tout de même un pour cent d'hommes normaux. Cela ne t'ennuie pas de refermer la porte en sortant ?

9.

Tout en scrutant son visage dans le miroir, Amy réfléchissait.

Elle devait à tout prix éviter de se trouver ce soir en présence de Rocco. Toutefois, à condition de procéder calmement, elle pourrait sans doute circuler de groupe en groupe sans le voir.

« Cela ne devrait pas poser problème », se dit-elle tout en s'examinant sans complaisance. Elle s'était contentée d'un nuage de poudre transparente et d'un soupçon de blush, avant de souligner légèrement ses yeux de kôhl brun et ses lèvres d'une touche de gloss.

Après avoir brossé ses cheveux, elle avait longuement hésité avant de passer la tenue que la vendeuse avait fini par la convaincre d'acheter. Une robe vert jade, plutôt moulante, pas très courte mais que ses escarpins rendaient néanmoins assez sexy. Maintenant qu'il était trop tard pour changer d'avis — d'ailleurs, elle n'avait rien d'autre à se mettre pour ce genre d'occasion — elle redoutait d'avoir l'air trop provocante.

En fait, jamais elle n'aurait dû se trouver là. Quinze jours plus tôt, elle avait invité son équipe au restaurant pour un repas d'adieu et demandé à Rocco si l'entreprise pouvait prendre la facture à sa charge. Celui-ci lui avait alors proposé d'organiser une fête à laquelle seraient conviés tous les employés. A la fois pour les remercier de leurs efforts passés et pour marquer qu'on entrait dans une ère nouvelle.

— J'aurais préféré quelque chose de plus intime, avait protesté Amy en tentant d'échapper à son regard fascinant.

— De par la spécificité de votre travail, vous étiez en contact avec l'ensemble du personnel, lui avait-il fait remarquer froidement. Pourquoi chercher à écarter tous ceux qui ne faisaient pas partie de votre équipe ?

Elle s'était senti forcée d'accepter. La fête allait donc avoir lieu en présence de tous les employés, dans un château proche de Stratford et loué à cet effet.

Cela s'était passé cinq jours après l'intrusion de Rocco chez elle et leur discussion concernant la reprise de ses études. Tout de suite après, son équipe avait déménagé et intégré leurs locaux au siège de Losi Construction.

Depuis, chaque fois qu'ils s'étaient croisés par hasard dans l'immeuble, ou qu'il l'avait convoquée dans son bureau pour lui demander des informations, il s'était montré d'une humeur massacrante. Récemment, Amy s'était même réfugiée dans les toilettes pour éviter de le croiser dans le couloir.

A 18 h 30, elle s'enveloppa dans un léger châle de soie et monta dans le taxi qu'elle avait réservé. Durant tout le trajet, elle fixa le paysage qui défilait derrière la vitre, le regard absent. Il lui semblait impensable de devoir quitter Losi Construction dans moins d'une semaine.

Elle avait écrit à Antonio pour lui faire part de ses projets et il lui avait passé un coup de fil pour l'encourager. Mais au lieu d'être remplie de courage et d'excitation à la pensée de ce grand changement, Amy se sentait au creux de la vague.

Et elle savait très bien pourquoi.

Elle avait eu tout le temps de se demander ce qui la déprimait à ce point. Les conclusions auxquelles elle était parvenue ne l'avait pas vraiment surprise. La seule chose qui l'étonnait, c'était d'avoir mis si longtemps à voir clair en elle-même.

Non contente d'avoir « fraternisé avec l'ennemi », comme aurait dit Sam, elle était tombée amoureuse de lui…

Elle avait bien sûr cherché toutes sortes de mauvaises raisons pour justifier les battements de son cœur lorsqu'elle apercevait Rocco. Elle avait même tenté de se persuader que ces réactions n'étaient dues qu'à l'autorité hiérarchique qu'il exerçait sur elle. Ou à son incroyable dynamisme et à son étonnant charisme. Ou, à la rigueur, à une attirance purement physique sans grande importance.

Mais elle s'était enfin résolue à s'avouer la vérité. Elle était folle amoureuse d'un homme qui considérait les femmes comme des jouets et avait toujours fui tout engagement. Comment aurait-elle pu continuer à travailler à ses côtés si elle ne voulait pas que sa vie tourne au désastre ?

Lorsque le taxi la déposa sur les lieux de la fête, ces pensées tournaient toujours en rond dans sa tête. Elle respira profondément en observant le somptueux édifice dont l'entrée majestueuse était encadrée par deux colonnes engagées. Chaque fois qu'elle avait visité ce château aux lignes typiquement anglaises, situé au sommet d'une colline et entouré d'un parc immense, peuplé de paons en liberté, elle avait été frappée par l'harmonie de ses proportions.

Pourtant, tandis qu'elle montait les marches du perron, son cœur battait si fort qu'elle était cette fois-ci incapable de se concentrer sur la beauté du lieu. Un maître d'hôtel entre deux âges la fit entrer dans la pièce où la fête battait son plein. Lorsqu'une des serveuses lui présenta un plateau chargé de flûtes de champagne, elle accepta avec plaisir pour se donner une contenance.

Comme il arrive assez souvent dans les réunions de ce genre, certains semblaient faire un effort pour parler à des collègues qu'ils ne côtoyaient pas d'ordinaire. Amy aperçut ainsi Freddy en train de converser avec Richard Newton et sa femme Pamela. En revanche, les employés les plus jeunes s'étaient déjà regroupés dans un coin. Tandis qu'elle observait le ballet des serveurs et des serveuses chargés de plateaux, évoluant adroitement parmi la foule des invités, Amy sursauta en sentant quelqu'un lui tapoter l'épaule. Mais ce n'était que Dee, vêtue d'une robe aussi blanche que ses cheveux, si différente de ses tenues habituelles qu'elle en oublia un instant ses préoccupations.

— J'ai rarement eu l'occasion de dîner dans ce genre d'endroit, déclara Dee, et je ne savais vraiment pas quoi me mettre sur le dos. Tu sais comment je m'habille d'habitude pour aller au travail. D'ailleurs, des vêtements plus branchés seraient assez déplacés là où nous travaillons. Mais je ferais mieux de parler au passé...

— De toute façon, ce n'est pas exactement la soirée que j'avais imaginée quand j'ai demandé à sa majesté si l'entreprise pouvait prendre en charge un dîner au restaurant pour six personnes, répondit Amy en se concentrant sur son interlocutrice.

Elle avait trop peur d'être tentée de regarder autour d'elle pour voir si l'homme qu'elle tenait tant à éviter ne se trouvait pas dans son champ visuel.

— Sa majesté ? répéta Dee en lui jetant un regard entendu. Je te trouve bien sarcastique. Il me semblait au contraire qu'il se tramait quelque chose entre vous deux...

— Quelque chose entre nous ? s'écria Amy.

— Par forcément quelque chose de sexuel. Mais à un moment, tout le monde a cru que le courant passait entre vous.

— En tout cas, s'il est d'une humeur de chien ces derniers temps, je n'y suis absolument pour rien, déclara Amy en se forçant à rire.

Dee la regarda avec curiosité.

— Pourquoi n'as-tu pas accepté ce qu'il proposait ? s'enquit-elle.

— Tu sais bien que j'ai toujours voulu...

— Je sais tout ça, coupa Dee. Mais honnêtement ?

Tandis qu'elle cherchait vainement une réponse plus convaincante, Amy fut sauvée par l'arrivée d'un groupe de jeunes qui se joignirent à elles.

Deux flûtes de champagne plus tard, elle se sentit enfin assez détendue pour jeter un coup d'œil à la ronde, à la recherche de visages familiers. Elle repéra vite Marcy, Andy et Tim et se lança dans une conversation avec eux, discutant de leurs déménagements respectifs et de leurs projets.

En se dirigeant vers l'immense salle à manger où des cartons portant le nom des convives indiquaient à chacun la place qui lui avait été attribuée, elle finit par apercevoir Rocco. Dieu merci, on l'avait placée à une table assez éloignée de la sienne, mais suffisamment proche, hélas, pour qu'elle puisse sentir son incroyable séduction. Debout à la place d'honneur, très à l'aise dans son smoking noir, il semblait scruter avec attention la foule des convives. Lorsque ses yeux se posèrent sur elle, elle eut l'impression que le brouhaha des voix s'éteignait soudain. Le souffle coupé, elle craignit un instant que ses jambes ne se dérobent. Mais son regard glissa rapidement vers un autre groupe sans qu'il ait semblé remarquer sa présence.

Amy eut le plus grand mal à se concentrer de nouveau sur ce qui se disait autour d'elle. Maintenant qu'elle savait où il était assis, elle n'arrivait plus à ignorer sa présence, le cherchant malgré elle du coin de l'œil, tout en se détestant de se comporter ainsi.

Le repas se déroula sans qu'elle prenne conscience des plats et des vins qui lui étaient servis. Au moment du dessert retentit le bruit caractéristique d'une cuillère tintant à plusieurs reprises contre un verre. Elle sursauta et constata que Rocco était debout.

Il n'eut pas besoin d'attendre longtemps pour que tous les regards convergent vers lui. S'il existait un homme capable de focaliser l'attention d'une foule, c'était bien lui. Le bruit des conversations qui n'avait cessé de croître tout au long du repas s'atténua soudain pour laisser place au silence. Sans s'éclaircir la gorge ni user des traditionnelles plaisanteries destinées à capter l'auditoire, il commença à parler.

A la table d'Amy, tous les convives paraissaient presque hypnotisés par sa silhouette élégante et son charisme exceptionnel. S'il avait interpellé Freddy pour lui demander de faire les pieds au mur, le jeune expert en immobilier se serait exécuté sans broncher.

De sa voix basse et sensuelle, il les remercia d'abord d'avoir accepté et favorisé les changements nécessaires qu'il avait dû opérer dans l'entreprise. Il n'omit pas de mentionner les noms de quelques-uns de ses plus proches collaborateurs, montrant toute l'attention qu'il avait accordée dès son arrivée aux hommes autant qu'aux événements.

A la grande surprise d'Amy, il termina en portant un toast à son propre père qui avait fondé une entreprise capable, durant tant d'années, de résister aux aléas. Mais tandis qu'elle levait son verre, elle eut la surprise de l'entendre ensuite mentionner son nom et de voir toutes les têtes se tourner vers elle. Rocco la fixait, la remerciant de tout ce qu'elle avait fait pour l'entreprise, et informant les convives qu'elle serait la seule à quitter Losi Construction, aux grands regrets de tous.

Amy eut un sourire contraint et se sentit rougir sous le regard de tous ses collègues.

— Pour nous permettre de vous manifester notre gratitude...

« Mon Dieu ! protesta-t-elle intérieurement. Tout, mais pas ça ! Pas de cadeau de départ, je vous en prie ! »

— Voudriez-vous avoir l'amabilité, chère mademoiselle Hogan de venir jusqu'ici pour recevoir...

Elle jeta un regard anxieux vers la sortie, mais elle se sentit poussée en direction de Rocco par quelques-uns de ses compagnons de table, sous les applaudissements et les vivats. Rocco avait été rejoint par Marcy, chargée d'un énorme paquet, et par Claire qui lui tendait un bouquet de fleurs.

Sentant qu'il l'observait, Amy se dit que si elle croisait son regard, elle risquait de ne plus pouvoir avancer. Aussi, pourquoi avait-elle bu tout ce vin pendant le dîner ?

Amy releva le menton pour tenter de se donner une contenance. Et l'émotion qu'elle ressentit en découvrant son cadeau lui fit oublier instantanément la proximité de Rocco : la photo de tous les projets auxquels elle avait participé avaient été réunis dans un seul cadre, constituant un immense tableau qu'avait signé chaque membre du personnel.

Bouche bée, muette d'émotion, Amy entendit crépiter autour d'elle les applaudissements sans pouvoir prononcer le moindre mot. Rocco annonça alors à l'assemblée que les discours étaient terminés : le moment était venu de s'amuser et de danser. Les lumières baissèrent et un DJ dont elle n'avait pas remarqué la présence jusqu'alors commença à passer de la musique.

— Tu n'as pas l'intention de traîner cet énorme paquet avec toi durant toute la soirée, déclara Rocco sans l'ombre d'un sourire. Je vais m'en occuper, si tu permets.

— J'allais le confier à un serveur. Merci beaucoup de t'en charger, répondit-elle avec la même froideur, tandis que son cœur bondissait dans sa poitrine.

Chaque cellule de son corps lui semblait en alerte, exactement comme lorsqu'il avait sonné à sa porte, à peine deux semaines plus tôt.

— Je m'en charge, dit-il en s'emparant du cadeau avant de se diriger vers la sortie.

Jetant un coup d'œil autour d'elle, Amy constata que l'ambiance était à la fête : dans la vaste salle, les gens dansaient au rythme de la musique, seuls ou par petits groupes, buvaient ou bavardaient. Voyant Rocco s'éloigner vers la sortie, elle hésita un instant. Néanmoins, elle finit par le rejoindre juste au moment où, dans le hall d'entrée, il confiait l'objet au garde chargé de la sécurité. Sous son regard perçant, elle se sentit soudain empruntée dans sa robe trop moulante qui soulignait les courbes de son corps d'une façon qu'elle trouvait maintenant gênante.

— Merci, lui dit-elle tandis qu'il déposait le tableau contre le comptoir où le garde vint le chercher pour le mettre à l'abri. C'est un cadeau merveilleux.

Se retournant, il se mit à la fixer sans ciller et Amy sentit son visage s'empourprer de nouveau.

— Si... si nous retournions dans la salle, bredouilla-t-elle. Les gens doivent se demander ce que nous...

— Alors, quel effet ça fait ?

Pendant quelques épouvantables secondes, elle crut qu'il avait réussi à lire dans ses pensées et qu'il avait deviné les véritables sentiments qu'elle lui portait.

— Que veux-tu dire ? balbutia-t-elle.

— Dans quelques jours, tu vas quitter cette entreprise.

— Ah oui... Eh bien c'est un peu étrange, oui, un peu étrange, répondit-elle, rendue soudain bavarde par le soulagement qu'elle éprouvait de s'être trompée. Depuis le temps que je travaille ici, je considère presque Losi Construction comme un second foyer... Mais d'un autre côté, je trouve assez excitant d'avoir à faire face à de nouveaux défis...

— Tu as tout fait pour m'éviter ces derniers jours. Pourquoi ?

Une bande de jeunes employés les frôla sans leur prêter la moindre attention avant d'entrer dans la salle.

— Tu ne crois pas que nous ferions mieux d'y retourner ? suggéra-t-elle.

— Pas avant d'avoir réglé ce petit problème. Viens, dit-il en lui prenant le bras pour l'entraîner vers l'escalier extérieur qui conduisait à une vaste pelouse.

— J'aimerais mieux poursuivre cette conversation à l'intérieur. J'ai froid, dit-elle, redoutant l'effet que pourrait avoir sur elle cette magnifique nuit étoilée.

— J'ai ce qu'il faut, répondit-il en couvrant de sa veste les épaules de la jeune femme.

Un instant, elle crut qu'elle ne résisterait pas à la tenta-

tion de s'en envelopper pour mieux respirer son odeur...
Il l'entraîna vers un banc où il la fit asseoir. Dans le
silence profond de la nuit, la pelouse s'étendait à leurs
pieds comme une eau calme et profonde.

— Chaque fois que je te croise, on dirait que tu es sur
des charbons ardents, reprit-il. J'aimerais que tu m'ex-
pliques pourquoi.

— Je ne m'en suis pas rendu compte, prétendit-elle.

— A quoi bon mentir ? dit-il en se tournant vers elle
et en allongeant le bras sur le banc.

— Eh bien, tu as raison. Je me sens gênée en ta présence,
voilà tout.

— Pourquoi ? demanda-t-il à mi-voix.

— On n'est jamais très à l'aise devant un patron auquel
on a donné sa démission. D'autant que je sais que tu
désapprouves ma décision.

— Je ne la désapprouve pas, répliqua-t-il avec une
pointe d'agacement. Je me suis seulement senti le devoir
de t'avertir des risques que tu prenais.

— Tu crois peut-être que tu peux te mettre à ma place ?
demanda-t-elle en se tournant vers lui, consciente que
la pénombre donnait à leur conversation un côté dange-
reusement intime. Et puis, ces derniers temps, tu étais
toi-même très irritable.

Rocco s'agita sur le banc. Il savait qu'elle n'avait pas
tort. En dépit de tous ses efforts pour se convaincre que le
départ d'Amy était une excellente chose, il avait été d'une
humeur exécrable : même lorsqu'elle ne se trouvait pas
dans son champ de vision, elle réussissait quand même
à le perturber...

— Comme tu le sais, j'ai été très pris par les changements en cours.

— Ce n'est pas une raison pour passer tes nerfs sur tes collaborateurs, rétorqua Amy en haussant les épaules.

— Personne d'autre que toi ne s'en est plaint.

— Personne n'a osé le faire, dit-elle en détournant les yeux, troublée par sa présence, si proche.

— Sauf toi.

Avec cette veste de smoking sur les épaules, il la trouvait irrésistible. Fraîche et innocente. Même s'il n'en était rien, songea-t-il en se rappelant la manière dont elle s'était servi de lui après sa rupture avec Sam. A cette pensée, sa mâchoire se contracta. Cependant, il fut incapable de suivre le conseil que sa raison lui dictait et de rentrer immédiatement dans la salle.

— Tu pourrais au moins me regarder quand je te parle, lança-t-il en la prenant par le menton pour la forcer à tourner la tête. Voilà qui est mieux.

— Tu es l'homme le plus arrogant que j'aie jamais rencontré !

— Peut-être, mais tu ne peux pas t'empêcher d'être troublée dès que tu me vois.

— Je ne tiens pas à prolonger cette conversation. Je rentre.

— Pas question ! dit-il en lui prenant le poignet pour l'empêcher de se lever. Cela t'a fait de la peine que je sois de si mauvaise humeur avec toi ?

— De la peine ? Mais pourquoi ? Je ne comprends pas, protesta-t-elle.

— Je t'ai manqué ? dit-il en entourant doucement de ses deux mains le visage d'Amy. Oui, je t'ai manqué, je le sais.

Désarmée de le sentir lire en elle comme dans un livre ouvert, Amy chercha en vain à se dégager.

— A moi aussi, tu m'as manqué, reprit-il dans un souffle.

— C'est faux, je...

Rocco posa un doigt sur ses lèvres pour la faire taire.

— Arrêtons de discuter, murmura-t-il en se penchant sur elle, surpris de constater à quel point il brûlait de sentir les lèvres de la jeune femme contre les siennes.

Leurs bouches se joignirent tandis qu'il l'attirait contre lui d'un geste impatient.

— Il ne faut pas..., balbutia-t-elle, en tentant de s'arracher à l'étreinte des bras puissants de Rocco. D'ailleurs, on doit se demander où nous sommes passés.

Même si le danger de s'abandonner à cette relation sans issue apparaissait à Rocco plus clairement que jamais, il sentait qu'en dépit de ses protestations, elle était prête à capituler.

— J'en doute. Mais si tu préfères que nous rentrions pour prendre congé...

— Non ! s'écria-t-elle.

— Dans ce cas, nous ferions mieux de filer en douce.

Avant qu'Amy ait eu le temps de réagir, il l'avait déjà entraînée vers le parking et l'installait dans sa voiture.

— Attends-moi ici, le temps que j'aille récupérer tes cadeaux.

— Mais c'est impossible ! Et si...

— La vie est trop courte pour qu'on la gâche avec des si.

Cinq minutes plus tard, il était de retour avec les fleurs et le tableau, qu'il réussit non sans difficulté à faire entrer dans son coffre.

— Tu es d'accord, alors ? demanda-t-il à Amy après

s'être assis derrière le volant. Il est encore temps de changer d'avis.

— Je ne suis sûre de rien, sauf de souffrir plus tard, répondit la jeune femme en posant la main sur le poignet de Rocco.

— Souffrir ? Mais pourquoi donc ? s'étonna-t-il.

Amy inspira profondément.

— Parce que tu es le genre d'homme qui fait souffrir les femmes, dit-elle en songeant au vide qu'elle ne manquerait pas de ressentir le jour où il la quitterait.

— Et pourtant, déclara-t-il sans chercher à protester, tu veux quand même partir avec moi ?

— Oui, répondit-elle sans même savoir où il l'emmenait.

Après avoir roulé vingt minutes en silence, il arrêta la voiture devant la vaste demeure où Amy s'était rendue à de nombreuses reprises quand Antonio y vivait encore. Une fois qu'il en eut déverrouillé la porte, elle le suivit à l'intérieur.

— Je vais te préparer un café, dit-il en se tournant vers la jeune femme.

Rocco avait beau se sentir fou de désir, il savait qu'il devait éviter à tout prix de l'entraîner dans la chambre. Elle l'y suivrait sans doute et ferait l'amour avec lui. Mais sans que cela représente pour elle autre chose que du plaisir physique. Et il ne pouvait supporter cette idée.

— Je veux bien. Tu as des nouvelles de ton père ?

— Il y a quelques jours, j'ai eu avec lui une conversation différente des échanges polis dont nous avons l'habitude. Mais assieds-toi. Je n'ai pas besoin de te dire de faire comme chez toi, tu connais déjà cette maison.

Il s'immobilisa un instant avant de se diriger vers la cuisine, où elle le suivit.

— Je lui ai téléphoné avant-hier pour lui demander son avis sur certains points concernant l'entreprise. Et j'ai fait allusion à son fameux album…

— C'est vrai ? s'étonna Amy.

— Oui. J'ai l'impression que nous commençons à régler les problèmes qui ont empoisonné nos relations.

— Cela me fait plaisir, dit-elle en lui adressant un sourire chaleureux.

— C'est grâce à toi. Et justement, je voudrais t'assurer, tout comme mon père l'aurait fait à ma place, que tu pourras toujours compter sur notre aide. Y compris financière.

Amy sourit de nouveau, mais cette fois de façon plus contrainte.

— Merci. Au fait, quelqu'un t'a vu quitter la réception ? demanda-t-elle, peu désireuse de le conforter dans ce rôle d'ange gardien.

— Des tas de gens, déclara-t-il en s'asseyant en face d'elle à la table de la cuisine. Je les ai prévenus que je t'emmenais chez moi pour y faire l'amour.

— Très drôle.

— En fait, je n'ai croisé que deux personnes qui étaient bien trop occupées à dire du mal d'une troisième pour me remarquer. J'ai disparu dans la nuit comme un voleur, les bras chargés de mon butin.

A l'évocation de cette scène romantique, elle ne put s'empêcher de songer qu'il aurait eu toutes les qualités requises pour incarner un gentleman-cambrioleur au charme fou.

Elle prit une longue inspiration. Pourquoi dissimuler plus longtemps le désir qu'elle sentait irrésistiblement

monter en elle ? Posant sa tasse sur la table, elle fixa
Rocco droit dans les yeux.

— Et si nous allions dans ta chambre ? proposa-
t-elle.

10.

Alors que deux minutes plus tôt Rocco n'avait qu'une idée en tête, prendre Amy dans ses bras et monter les marches qui le séparaient de sa chambre à coucher, voilà qu'il se sentait curieusement réticent. L'image de la jeune femme avait hanté ses jours et ses nuits, le détournant de son travail et le poursuivant en dépit de tous les problèmes qu'il avait à régler. Il en était alors arrivé à la conclusion que s'il faisait l'amour avec elle une nouvelle fois, il se libèrerait de cette obsession qui bouleversait sa vie.

Et maintenant qu'elle le fixait de ses grands yeux bruns pleins de séduction, il ne comprenait plus les réticences qui l'envahissaient.

— Pourquoi es-tu si pressée ? s'enquit-il au moment où elle se levait pour lui tendre la main. Tu n'as donc pas envie que je te fasse un brin de cour ?

Amy lui adressa un sourire contraint, se demandant si elle devait se rasseoir. Maintenant qu'il était sûr de la tenir à sa disposition, peut-être qu'elle ne l'intéressait plus ?

— Je te trouve bien décontractée, dit-il d'une voix tranchante.

Rocco sentait monter en lui une soudaine bouffée d'agressivité. Incapable de s'expliquer les motifs de sa brusque colère, il se sentait irrité contre le monde entier, contre Amy, contre lui-même. Pourquoi restait-il là, téta-nisé, alors qu'il aurait pu être dans la chambre en train de la déshabiller ?

— Il a sans doute suffi à ton précédent petit ami de t'offrir une tasse de café pour te mettre dans son lit ?

Amy se rassit brusquement.

— Que se passe-t-il, Rocco ?

— Je t'ai posé une question.

— Une question à laquelle je m'abstiendrai de répondre. Je savais bien qu'en venant ici, je commettais une erreur.

— Je t'ai pourtant clairement demandé si tu étais certaine d'en avoir envie.

— Je n'imaginais pas... Peux-tu m'expliquer ce qui t'arrive ?

Rocco baissa les yeux. Il ne le savait pas plus qu'elle. Le moment où elle avait prétendu n'avoir couché avec lui que pour oublier sa rupture l'obsédait.

— Ce qui m'arrive ? répéta-t-il en se levant pour arpenter la cuisine de long en large comme un lion en cage.

Il lui fallait absolument se libérer de la rage qui le possédait et échapper au regard d'Amy, plein d'étonne-ment et de tristesse.

— Je vais appeler un taxi, dit-elle en sortant son portable de son sac.

D'une main tremblante, elle composa le numéro.

— Comment oses-tu me demander ce qui m'arrive ? reprit-il sans paraître s'être rendu compte de ce qu'elle venait de faire. La première fois que nous avons fait l'amour, c'était pour toi un dérivatif à tes problèmes sentimentaux. Et maintenant, tu veux que je m'exécute simplement parce que tu en as envie ?

Amy plissa les yeux tandis qu'une onde de colère la

142

parcourait. Comment pouvait-il la juger avec tant d'arrogance sans se remettre lui-même en cause ?

— Inutile d'échanger ce genre de propos, réussit-elle à articuler. Je me suis trompée en croyant que l'attirance que je ressentais pour toi était... partagée. Maintenant je comprends que tu ne m'as amenée ici que pour venger une blessure d'amour-propre.

— Sans doute as-tu raison.

Amy se raidit pour ne pas pleurer, craignant qu'il ne remarque pourtant le tremblement de ses lèvres. Si elle ne voulait pas être complètement détruite, il lui fallait fuir cette maison au plus vite.

Avec une immense amertume, elle se dit qu'elle avait compris la leçon et qu'elle ne laisserait plus jamais libre cours à ses sentiments.

— Tu penses que tout est de ma faute, n'est-ce pas ? lança Rocco en se tournant vers elle.

En guise de réponse, elle se contenta de hausser les épaules et de lui jeter un regard farouche.

— Pourrais-tu être un peu plus claire ? reprit-il avant de revenir s'asseoir en face d'elle.

— Je ne comprends pas comment nous en sommes arrivés là. Tu m'as amenée ici uniquement pour pouvoir m'accuser de...

Elle s'interrompit et baissa les yeux pour éviter qu'il y voie briller les larmes qu'elle sentait perler à ses paupières.

— Excuse-moi..., murmura-t-il.

— De quoi ? Au fond, tu t'es montré honnête. J'ai fait une remarque idiote et tu me fais payer, voilà tout. Mais ne t'en fais pas, mon taxi ne va pas tarder à arriver. Comme je n'ai pas l'intention de revenir travailler la semaine prochaine, tu seras définitivement débarrassé de moi.

La sonnette retentit à ce moment. Comme l'éclair, Rocco se leva, faisant tomber sa chaise dans sa hâte. Amy prit à peine le temps de ramasser son sac avant de s'élancer derrière lui. Quand elle atteignit la porte ouverte, il avait déjà tiré son portefeuille de sa poche.

— Qu'est-ce que tu fais ? s'exclama-t-elle en saisissant le poignet de Rocco.

— C'est vous, madame, qui avez commandé un taxi ? s'enquit le chauffeur de taxi tout en prenant la liasse de billets que lui tendait Rocco.

— Oui, je suis Mlle Hogan.

D'une main d'acier, Rocco l'empêchait de franchir le seuil.

— Vous désirez monter ou non ? insista le chauffeur.

— Madame a changé d'avis.

— Oui, excusez-moi, dit Amy à contrecœur.

Lorsque le taxi eut enfin redémarré, elle fit face à Rocco, les mains sur les hanches.

— Combien de temps as-tu l'intention de me garder prisonnière ici ?

— Je crois que nous devrions tous les deux boire quelque chose, dit-il en l'entraînant vers la cuisine où il leur servit un verre de vin.

Amy serrait les bras contre sa poitrine dans un geste de fureur impuissante. Elle refusa le verre d'un signe de tête, mais le suivit néanmoins dans le salon.

— Tu n'aurais pas dû renvoyer mon taxi, dit-elle en essayant de maîtriser sa voix.

— Nous avions encore à parler.

— Pas en ce qui me concerne.

— Assieds-toi. Tu es donc si pressée de partir ?

— Je l'étais jusqu'à ce que tu m'en ôtes la possibilité, dit-elle en s'asseyant sur une chaise d'un air résigné.

Il s'installa confortablement sur le canapé, son verre à la main, et commença à parler, les yeux fixés au plafond.

— Je ne t'ai pas amenée ici pour me venger de toi. Quand j'ai quitté la réception, c'était pour faire l'amour avec toi.

— Dans ce cas, que s'est-il passé ? murmura Amy en se penchant vers lui.

La pièce était seulement éclairée par la lumière qui filtrait de l'entrée.

— C'est une excellente question, reconnut-il.

Il se leva, fit quelques pas et finit par poser son verre sur la cheminée.

— Simplement, reprit-il, je me suis rendu compte que ce n'était pas une bonne idée.

— Parce que je ne suis définitivement pas ton genre ? Tant que j'ai constitué pour toi une sorte de défi, tu m'as trouvé amusante. D'autant plus que tu me croyais presque mariée à un autre homme. Tu as couché avec moi pour me montrer que je me trompais sur Sam. J'ai vu juste, n'est-ce pas ? Et si je n'avais pas porté atteinte à ton amour-propre, tu en serais resté là.

Maintenant, c'était elle qui sentait la colère l'envahir. Comme il continuait à se taire, Amy se sentit submergée par une vague d'humiliation.

— Si je l'avais pu, j'aurais effectivement agi comme tu viens de l'expliquer, murmura enfin Rocco.

— Je ne comprends pas, répondit Amy, pensant avoir mal entendu.

— Je veux dire que j'aurais bien voulu avoir planifié les événements comme tu l'as décrit. Dans ce cas, j'aurais gardé le contrôle de la situation.

— Je ne vois pas de quoi tu parles.

— Tout est de ta faute, commença Rocco en prenant un coussin pour s'asseoir aux pieds de la jeune femme.

— C'est pratique ! dit-elle avec un petit soupir de dépit.

— Avant que tu ne viennes tout chambouler, je maîtrisais jusqu'au moindre détail de ma vie.

— Tout comme moi. Enfin… je veux dire… Je dirigeais une bonne équipe, je faisais un travail qui me plaisait. Et puis tu es arrivé pour tout balayer.

— Tout le monde a besoin de changer de temps en temps.

— Pourquoi ? Tu as eu peur que je me sente trop satisfaite de moi ?

Il fronça les sourcils.

— Et Sam ? demanda-t-il. Tu ne vas pas me dire que tu étais satisfaite de votre relation ?

— Non. Je reconnais qu'elle ne pouvait nous mener à rien. Mais cela ne te donnait pas le droit d'intervenir pour autant.

— Je n'avais pas le choix.

— Et pourquoi ça ?

Il y eut un long silence. Tout à coup, Amy se demanda ce qu'il pouvait avoir de si difficile à lui avouer. Il avait l'air si mal à l'aise…

— Je n'ai pas fait l'amour avec toi pour te prouver quoi que ce soit, dit-il enfin, même si j'ai essayé de te le laisser croire. Peut-être pour m'en persuader moi-même, d'ailleurs. J'ai couché avec toi parce que je ne pouvais pas faire autrement. Par passion.

— Pourquoi… Pourquoi ne m'as-tu rien dit ? chuchota Amy dont le cœur se gonfla soudain d'un irrésistible espoir.

— Parce que la passion, à part peut-être dans mon

146

travail, je n'en avais jamais fait l'expérience. Tu ne peux pas savoir ce que j'ai ressenti quand tu m'as dit que tu n'avais cherché qu'à te distraire de ta récente rupture.

— Jamais je n'ai vraiment pris au sérieux mes relations avec Sam, reconnut-elle. En fait, je cherchais seulement à te rendre la monnaie de ta pièce.

Il lui jeta un regard d'une telle intensité qu'elle en fut bouleversée. S'il se rendait compte de ce qu'elle éprouvait pour lui en cet instant, s'il faisait le moindre geste, elle serait perdue pour toujours.

— Je n'ai jamais prétendu que tu ne m'attirais pas, continua-t-elle. Si je suis ici, c'est bien la preuve que...

Il la coupa d'une voix dure.

— Je crois que la seule chose qui ait jamais compté pour toi depuis que tu es entrée chez Losi Construction, quand tu avais seize ans, c'est ton travail. Quant aux êtres humains, tu les as relégués à la rubrique loisirs, quand l'envie te prenait d'avoir un peu de compagnie, c'est-à-dire assez rarement. Si tu ressens maintenant le besoin de t'intéresser un peu plus au sexe, ne compte pas trop sur moi pour jouer les initiateurs.

Amy le regarda avec stupéfaction, interdite qu'il puisse la décrire en ces termes. Elle ouvrit la bouche pour protester avec véhémence, mais il ne lui en laissa pas le loisir.

— Et malgré cela, il y a des mots que je n'aurais jamais cru pouvoir prononcer. Mais...

— Mais ? répéta-t-elle, le cœur battant, incapable de maîtriser l'espoir fou qui l'envahissait. Je ne te demande rien, tu sais.

— C'est précisément ce que je redoute.

— Tu as dit...

— Je ne retire rien de ce que j'ai dit. Pourtant, faire l'amour avec toi ne me suffit pas. Je veux être uni à toi par d'autres liens, plus forts, plus durables.

— Des liens durables ? balbutia-t-elle tandis qu'un sourire éclairait son visage.

— Tu trouves cette idée si... surprenante ?

— Je la trouve..., dit-elle en caressant doucement le visage que Rocco levait vers elle, je la trouve... merveilleuse.

— Pourquoi ?

— Parce que je t'aime. Au début, je t'ai fui car j'avais peur de souffrir si je m'attachais à toi. Mais cette nuit, je n'ai plus eu envie de me ménager. J'avais trop envie de toi.

Rocco lui prit la main et y déposa un baiser.

— Je le savais. Même quand je t'ai vu en compagnie de cet homme, je savais que je comptais plus que lui.

— Comment pouvais-tu en être si sûr ? dit-elle en riant.

— Je l'espérais de toutes mes forces. Je le voulais parce qu'il me semblait impossible que tu t'intéresses à un autre alors que je t'aimais tant. Tu sais que tu vas devoir m'épouser, lui chuchota-t-il à l'oreille.

— Devoir ?

— J'ai bien peur que tu n'aies pas le choix.

— Dans ce cas... Je serais vraiment stupide de chercher à discuter.

Avec un regard satisfait, Antonio regardait son fils et la jeune femme que depuis tant d'années il considérait comme sa fille.

Même dans ses rêves les plus fous, jamais il n'avait espéré se réconcilier avec Rocco. En dépit de tous ses regrets, il s'était résigné à accepter l'éloignement de son fils. Et voilà qu'ils étaient de nouveau réunis : la semaine qu'il venait de passer avec son fils et sa belle-fille avait été la plus heureuse de sa vie. Il avait tant de retard à rattraper, après tout le temps perdu par ignorance et par orgueil.

Il avait fini par comprendre que le chagrin et la solitude l'avaient amené à rejeter son enfant, jusqu'au jour où, devenu un homme, cet enfant l'avait rejeté à son tour. Même si sa femme Serena lui avait été enlevée, Rocco n'y était pour rien. Finalement, le vieil homme avait trouvé la force de reconnaître qu'il avait laissé se creuser entre son fils et lui un fossé qui s'était élargi au fil des années.

Mais ce fossé, Amy avait su le combler, songeait Antonio en les suivant du regard tandis qu'ils se promenaient sur la plage, les mains enlacées, le visage rayonnant d'amour, leurs corps se touchant au rythme de leurs pas.

— Tu aurais dû venir te promener avec nous, Antonio, lui dit Amy en le serrant dans ses bras. Le paysage est tellement beau !

— Un homme serait prêt à bien des sacrifices pour passer sa vie ici, renchérit Rocco en souriant.

— Je connais quelqu'un qui l'a fait, même s'il apprécie beaucoup qu'on vienne lui rendre visite de temps en temps, répondit Antonio en pensant que la semaine suivante, ces deux-là seraient partis et lui manqueraient terriblement. Et bien sûr, je serai ravi que m'ameniez de la compagnie.

— Vous voulez que nous venions avec des amis ? proposa Amy en toute innocence, tandis que le père et le fils échangeaient un regard entendu.

— Pas exactement, intervint Rocco. Je pense que papa

fait allusion à des compagnons plus proches et... plus jeunes.

— Eh bien, nous allons essayer de vous satisfaire, murmura tendrement Amy, les yeux brillant de tous les rêves qui étaient désormais devenus réalité.

Le nouveau visage
de la collection Or

◆

AMOURS D'AUJOURD'HUI

Afin de mieux exprimer sa modernité et de vous séduire encore davantage, votre collection Or a changé de couverture et de nom depuis le 1er mars 1995.

Rassurez-vous, les romans, eux, ne changent pas, et vous pourrez retrouver dans la collection **Amours d'Aujourd'hui** tous vos auteurs préférés.

Comme chaque mois, en effet, vous y attendent des héros d'aujourd'hui, aux prises avec des passions fortes et des situations difficiles...

**COLLECTION
AMOURS D'AUJOURD'HUI :**
Quand l'amour guérit des blessures de la vie...

Chère lectrice,

Vous nous êtes fidèle depuis longtemps?
Vous venez de faire notre connaissance?

C'est pour votre plaisir que nous avons
imaginé un rendez-vous chaque mois
avec vos auteurs préférés, vos
AUTEURS VEDETTE dans les
collections Azur et Horizon.

Les AUTEURS VEDETTE vous
donneront rendez-vous pour de
nouveaux livres vedette.

Pour les reconnaître, cherchez
l'étoile… Elle vous guidera!

Éditions Harlequin

Composé et édité par les
éditions Harlequin
Achevé d'imprimer en mars 2006

BUSSIÈRE
GROUPE CPI

à Saint-Amand-Montrond (Cher)
Dépôt légal : avril 2006
N° d'imprimeur : 60347 — N° d'éditeur : 12008

Imprimé en France